JN098254

失敗から学ぶ［実務講座シリーズ］⑪

〈2訂版〉

税理士が見つけた！

本当は怖い相続の失敗事例64

TOHOSHOBO

[はじめに]

辻・本郷税理士法人は全国68箇所（令和３年４月現在）に事務所がある総勢1500人を超える組織です。

その中で毎日のように金融機関等のセミナーや個別相談、電話やWEB等でいろいろな相続関係の相談を受けております。

平成27年から相続税の基礎控除が引き下げられたこともあり、テレビ・新聞・雑誌等でも相続関連の記事が取り上げられることが多くなりました。相続に関して、一般の方の関心も高まっております。ただ、いろいろな相談を受けていますと、「もう少し、こうしておけばよかったのに」と思うことが多々あります。

そこで、「失敗事例55」として初版を書き上げましたが、今般、２訂版として事例を増やし、「失敗事例64」を発行する運びとなりました。

この本は、遺言から始まり、贈与、生命保険、遺産分割、税務調査、納税資金調達、自社株、不動産、社団・財団、民事信託、海外の内容からなっています。

遺言のなかで付言事項があればうまくいったケース、また、生命保険の非課税枠をうまく使えなかった人も多くいらっしゃいます。

本当にもったいないと思います。

また、配偶者の名義預金が見つかり重加算税をかけられそうになったケースでは、申告前に確認等をしておけば防げたのではないかと思うこともあります。相続税の申告はしたものの、納税で困るケースもよくあります。

さらに、不動産に関しては、中途半端な遺言があったことにより小規模宅地等の特例が使えなかったケースや、配偶者居住権を理解していなかったために相続税の負担が増してしまったケースもあります。

そして、国外転出時課税（いわゆる出国税）は、一部の人の問題ではなく、特に企業オーナーは、よく理解しておく必要がある制度です。

やはり成功事例よりも失敗事例からのほうが、多くを学ぶことができると考えています。

「なぜ失敗したのか」「どうしたら失敗を防げたのか」「他に方法はなかったのか」等の失敗事例を、是非自分のこととして認識していただき、同じ過ちを繰り返さないでいただければ本書の意義があるかもしれません。

なお、本書の事例は、個人が特定されないよう事実に基づき脚色を加えた形でご紹介をしていることを申し添えます。

辻・本郷 税理士法人
理事長　德田 孝司

目次

〈2訂版〉税理士が見つけた！
本当は怖い相続の失敗事例64

遺言

事例01

付言事項を書かずに失敗

私たち夫婦には、２人の息子がいます。長男は、外交官になる夢もあきらめ、家業の電気会社を大学卒業後から今日まで手伝ってきました。二男は、私立の医学部を出て、念願の医師となり、医院を経営し、成功しています。夫の財産は、会社の建物と土地、隣接する自宅と金融資産です。長男と長男の嫁は、私たち夫婦と同居し、公私ともに長年手助けをしてくれてきましたが、二男夫婦は、何を怒っているのか、めったに顔も見せません。そこで、夫は、会社と長男夫婦のため、自筆で以下の遺言を残し、これで安心と昨年旅立っていきました。

【遺言書】

自宅は、妻明子に相続させる。

会社の土地と建物は、長男一郎に相続させる。

金融資産は、妻明子に２分の１、長男一郎に４分の１、二男二郎に４分の１を相続させる。

妻明子、長男一郎そして、一郎の嫁の花子さん、長年家業を手伝ってくれてありがとう。あなたたちのおかげで、家業を続けることができました。長男一郎、花子さん、私亡き後も、妻明子のことをくれぐれもよろしく頼みます。

四十九日の法要の際、私が２人の息子夫婦の前で、上記の遺言書を読み上げたところ、二男は、自宅や、会社の土地と建物についても、法定相続分の４分の１に相当する金額を相続する権利があると主張してきました。私は、「あなたが医師になるために、莫大なお金がかかったこと、長男は、自分の夢をあきらめて、家業を手伝ってきてくれたこと」等を言い聞かせましたが、「おやじは、俺のことを小さいころから疎んじて、兄さんばかり可愛がってきた。遺言書も兄さんがおやじに言い寄って書かせたに違いない」と言って私の言葉を聞き入れてくれません。それを聞いた長男は激怒し、今までの思いのたけを二男に思わず言ってしまい、２人は大喧嘩をしました。その結果、二男は、正式に弁護士をたてて私と長男に遺留分を

請求し、泣く泣く長男と私は遺留分に相当する現金を会社から借りて二男に支払いました。そして、何より悲しいのは、二男のみならず、二男の嫁や二男夫婦の子供である孫も私と長男家族に永久に顔を合わせることのない悲しい関係になってしまったことでした。

1. なぜ本事例のような財産の分け方を書いたか詳細な理由が書かれていなかった。
2. 二男と二男の嫁への感謝の言葉が記載されていなかった。
3. 付言事項の記載についてその重要性を知らなかった。

[ポイント解説]

1. 付言事項とは

遺言には財産の処分を記載するだけではなく、法的な効力や拘束力を目的としない、遺言者の相続人等関係者へのメッセージを記載できる「付言事項」があります。「付言事項」の記載について、面倒とか、恥ずかしいといって記載しなかったり、一般的な定型文句で記載される方をよくお見受けしますが、「付言事項」こそ、力を入れて文案を検討していただきたい箇所です。特に本事例のように、法定相続分と異なる、偏った相続割合で遺言を書かれる場合には、なぜ、偏った相続割合で財産の分け方を指定したのか、その理由をきちんと書いておくべきです。本事例では母親が二男にその理由を故人に代わって説明していますが、二男は全く聞く耳を持ちません。遺言書という文中に故人自身によってその想いが書かれ、厳粛に読み上げられることにより、故人の想いが相続人の心に届きます。「付言事項」にきちんと想いが記載されていないことによって、相続する財産の金額だけが一人歩きし、相続人や相続人の家族のその後の人生に影を落とすことになりかねません。

2. 付言事項の一例について

付言事項には、悪口や不満はもちろん書かないことが重要ですが、本事例のように、相続人全員にもれなく感謝の気持ち等が書かれていないことも失敗の原因の1つです。付言事項には、公平に、相続人の一人ひとりに愛情をもって、感謝の気持ちを残すことが重要です。

本事例であれば、次のような付言事項であったらどうだったでしょうか？

妻明子は長年私の傍らに付き添い、２人の息子を立派に育ててくれて本当に感謝しています。長男一郎は､家業の後継者として、私と明子を支えてきてくれました。

二男二郎は、医師となり、医院経営も順風満帆で私の自慢の息子であり､誇りであり喜びです。一郎と二郎の２人のお嫁さんは、可愛い私の娘であり、２人のおかげで、我が家は安泰となりました。さて私の財産ですが、そのほとんどは、家業に関係しているものです。

家業と従業員とその家族は、明子や子供たちと同じくらい、かけがえのない存在です。

そこで、一郎に家業の財産を全て相続させる代わりに、家業の存続という責務を背負ってもらいます。二郎には、少しばかりの財産しかあげることができないのは申し訳ないと思いますが、どうか、家業を守るためと思って理解してください。

明子、一郎、二郎、そして２人のお嫁さん、孫たち、素晴らしい家族に恵まれ、本当に幸せな一生を送ることができたと心から感謝しています。最後に一人ひとりにありがとうの言葉を残します。

事例02

遺言書に遺言執行者の記載をしなかったため換金できず失敗

私たちは４人きょうだいです。私が母と同居して母の面倒を見ています。以前父が亡くなった際には、母がほとんどの財産を相続しましたが、気の強い母が場を仕切ったため他のきょうだいは渋々ながら承知したものの、不満が残っていたようです。このままでは、母の相続が「争続」になりかねないため、遺言を書いてくれと母に頼んだところ、「大丈夫、もう書いてあるから心配するな」と言われました。

その後母が亡くなり、遺言書と書かれた封筒が見つかりました。

遺言書の内容は、自宅などの不動産を含めおよそ半分を私に、残り半分を弟・妹たちに均等に、という内容でしたので、母に感謝するほかはありませんでした。

ところが、いざ遺言書の記載どおりに預貯金や上場株式を換金しようとしたところ、金融機関の

窓口で「遺言執行者の記載がないので、手続きに応じられません」と言われてしまいました。仕方なく、弟・妹たちに換金に協力してもらおうと必要書類への署名・捺印をお願いしましたが、遺言書の内容が気に入らないのか、書類を送っても返事もなく、電話にも出てくれません。このままでは、相続税の申告期限までに現金が準備できませんし、上場株式の株価も日に日に変動しているので、財産が目減りしてしまわないかと気が気でありません。

1. 遺言書には遺言執行者を記載すべきであることを知らなかった。
2. 遺言信託など、金融機関の提供するサービスも検討しておくべきであった。

[ポイント解説]

1. 遺言執行者の指定

遺言書は、被相続人の意思を死後に伝えるだけではなく、その遺言書をもって意思を実現できるという意味で非常に有効な手段といえます。つまり、遺言書がない場合には、相続人全員で遺産分割協議を行わなければ原則として遺産の名義変更ができませんが、法的に有効な遺言書があれば、相続人全員の協力がなくても遺産の名義変更をすることができるのです。

ただし、誰かがその遺言書を持って名義変更等の事務手続きのために金融機関まわりをしなければならないわけですが、この事務手続きをする人のことを「遺言執行者」といいます。

遺言執行者は、被相続人の意思のとおりに遺言を実現しなければなりませんので、その手続きにかかる一切の権限を有することになりますが、逆に、遺言執行者の指定のない遺言書の場合には、金融機関での解約や名義変更等の手続きを、相続人・受遺者が単独で実行することができません。

遺言執行者の記載がない遺言書が出てきた場合には、各種手続きの都度、相続人全員の署名等をもらい手続きを進める方法や家庭裁判所に遺言執行者の選任の申立てをする方法もありますが、相続人間で揉めていた場合には、署名等がもらえないことや遺言執行者の候補について意見があわないことも多く、また、選任までに時間もかかるため、遺言執行者の指定を遺言書に記載しておくべきです。

2. 自筆証書遺言のリスク

自筆証書であっても公正証書であっても、全ての遺言について遺言執行者の指定をしておくべきですが、特に自筆証書遺言の場合には遺言執行者の指定がされていないことが多いようです。これは、自筆証書遺言は独りでこっそり書くことが多く、誰からもアドバイスを受けるタイミングがないことが不備の原因といえるでしょう。自筆証書遺言を書く際でも税理士や弁護士等の専門家のアドバイスを受ける、または、金融機関が提供する「遺言信託」というサービスを活用するなど、「執行に係る争続」に備えて万全を期すということも検討しましょう。

事例03
遺言書を詳しく書かずに失敗

私の夫の家系は古くからの地主で、多数の賃貸用不動産を所有しておりました。夫が先日亡くなり、残した遺言書の内容を確認したところ、自宅は私へ、賃貸用不動産は子供たちへ相続させ、預貯金については均等に相続させる旨の内容となっていました。また、遺言書に記載されていない財産・債務は全て妻である私に相続、承継させる、という文言もありました。子供たちも夫の遺言に納得し、その遺言書を使いスムーズに相続登記をし、預貯金の解約手続きを進めております。

しかし、相続税の申告をするため税理士に遺言書を渡して相談したところ、この遺言書は少し問題があると指摘を受けました。

子が相続したある賃貸用不動産には、家賃を滞納している人がおり、多額の未収家賃が発生しております。その未収家賃の権利を誰が相続するかについて、また、賃貸用不動産が一部老朽化したため生前建て替えを行った際の借入金を誰が承継するかについて、特に記載がされていないという

点でした。

この場合、遺言書では、記載のない財産や債務は全て私が相続、承継することとなっておりますので、未収家賃は全て私が取得し、借入金も全て私が負担することとなってしまいます。

収入のない私が借入金を承継することはあまりにも不合理であるため、子供たちに説明をした上で、未収家賃や借入金の負担は、各不動産の取得者に紐づけになるように、改めて遺産分割協議をすることとなり、思ったより手間がかかってしまいました。

【父が書いた遺言】

第○条　遺言者は、遺言者の長男○○○○（昭和○年○月○日生）に次の財産を相続させる。

①土地

所在　○○市○○区○○

地番　○○番○○

地目　宅地

地積　○○㎡

②建物

～省略～

第○条　遺言者は、前条までに記載以外のその他一切の財産及び債務を妻○○○○（昭和○年○月○日生）に相続させ、または負担させる。

1. 不動産を特定の人に相続させる旨だけを書けば問題ないと思っていた。
2. 未収家賃や借入金は賃貸用不動産を引き継ぐ子に承継されるものと思っていた。

[ポイント解説]

せっかく書いた遺言も、細かなところまで指定して書かないと、結果的に分割協議せざるを得ない場合や、トラブルに繋がる恐れがあり、遺言を書いた意味がなくなってしまいます。

税理士や弁護士等の専門家に相談の上、財産や債務の行き先が細かく指定された遺言を書くようにしましょう。

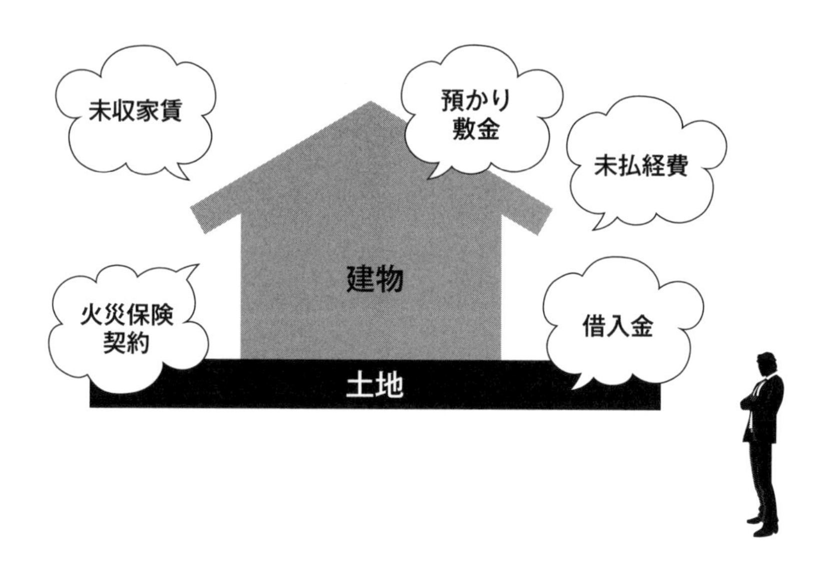

事例 04

遺言により不動産だけ相続させられ、納税ができず失敗

私の実家は、地元でも名の通っている大地主です。先日父が亡くなりましたが、父の顧問弁護士から連絡があり、父が生前に遺言書を残してくれたことを知りました。

母はすでに亡くなっており、相続人は、この私と妹の2人で、遺言書の内容は、「不動産は全て長男に、金融資産は全て長女に」というものでした。遺言書の日付は祖父が亡くなったころであり、やっとの思いで先祖代々の土地を他のきょうだいに分けることがなく父が全て相続でき、安心していた時期でした。生前、土地を守るのは、大変と父からよく聞かせられていましたので、父がこのような遺言を書いたのは、十分理解できました。ただ、遺言書を書いた時点より現時点では、土地の価額が大幅に下落し、金融資産の額が不動産の額を上回ってしまいました。何よりも不動産だけしか相続しない私は、相続税を払う現金がありませ

ん。そこで、妹に、遺言を放棄してもらい、遺産分割協議で分割をやり直し、納税資金用の現金を分けてほしいと伝えましたが、妹は、「お父さんがせっかく残した遺言なんだから、お父さんの気持ちを貫きたい。納税資金用に土地を売ればいいでしょ」の一点張りです。弁護士は、遺留分の侵害もないため、このまま、遺言書の執行に着手する旨を通知してきています。仕方なく、相続税の支払いのため、土地を売却する準備にかかりましたが、遺言に込めた本来の父の願いを貫くことができず、情けない気持ちでいっぱいです。

【遺言書作成当時】

不動産	預貯金

→不動産は長男、預貯金は長女

【相続開始時点】

不動産	預貯金

→不動産は長男、預貯金は長女

1. 不動産を相続させる相続人には、相続税相当額の現金も付けておくべきであった。
2. 遺言書を作成する際には、長男が相続税が払えるかどうかをチェックしておくべきであった。
3. 遺言書については、状況の変化に応じて見直しをしておくべきであった。

[ポイント解説]

1. 遺言書における財産分配の留意点

遺言書は、遺言を書く人の意思が尊重されてしかるべきです。誰に何をあげようと、遺言者の自由ということになります。ただし、その分配で相続人全員がそれぞれに相続税を金銭で一括納付できるか、チェックしておくことが、必要といえます。

相続税は金銭一括納付が原則であるにもかかわらず、遺言で不動産しかもらわなかった場合には、納税のための資金調達が必要となってしまいます。延納で相続税を分割払いするという方法もありますが、担保提供できるものがない場合には延納も難しくなってしまいます。

このような理由により、相続開始後に慌てて土地を売却しなければならないとなると、売りやすい土地から切り売りすることもやむを得ず、また、買主から足元を見られて買い叩かれてしまうことも否定できません。

不動産については、ほかにも相続登記のための登記費用やその後の固定資産税、建物にいたっては修繕費など何かと費用がかかるものです。その点も踏まえて、各相続人には不動産と金融資産をバランスよく相続させることも検討する必要があります。

2. 遺言書の書き直し

遺言書は、書き手に意思能力がある限り、何度でも書き直しが可能です。遺言書を書いた当時の試算では「相続税」の問題をクリアしていたとしても、その後の財産の増減、市場価格の変動、相続人の異動（相続人が先に死亡してしまった場合など）によっては、実状にあわない遺言書となっている可能性があります。できれば、年に１度は相続財産と相続税の試算、及び遺言書の見直しをすることをお勧めします。

事例 05

包括遺贈をして失敗

私たち家族は、私と夫、長男と長女の４人家族です。長男と長女は昔から仲が悪く、夫は、生前「俺が死んでも困らないようにちゃんと遺言書を書いているから、安心しろ」と常々私に話しておりました。

先日夫が亡くなり、自筆証書遺言を夫の書斎から見つけました。裁判所で検認をし、確認したところ、「遺産を3分の１ずつ遺贈する」といったシンプルな内容のものでした。夫の財産は、現預金だけではなく、不動産、投資信託と、様々な種類の財産がありますが、これを具体的にどのように分ければいいのか、見当もつきません。税理士に相談したところ、具体的に誰がどの財産を相続するかは、遺産分割協議という話し合いで決めなければいけない、と言われてしまいました。長男と長女はあまり仲がよくなかったため、財産を具体的にどう分けるか、話し合いにとても時間がかかってしまいました。

【父が書いた遺言】

第○条　遺言者は、遺言者の有する全財産を包括して妻○○○○（昭和○年○月○日生）、長男○○○○（昭和○年○月○日生）、長女○○○○（昭和○年○月○日生）にそれぞれ3分の1ずつ相続させる。

1. 割合を指定した遺言を書いておけば、遺産分割協議が不要になると考えていた。
2. 包括遺贈と特定遺贈の違いを知らなかった。

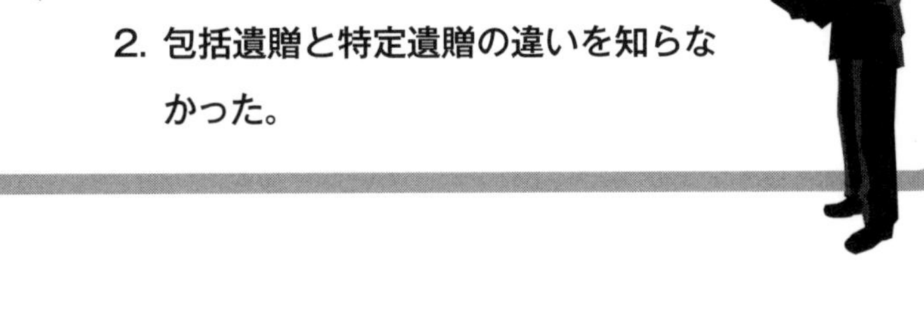

［ポイント解説］

1.　遺贈

遺言により無償で財産を渡すことを「遺贈」といいます。

遺贈には、包括遺贈（遺産の全部または一部につき“何分の1”というような一定割合を示してなされる遺贈〈例：財産の3分の2は妻に、残りを長男に〉）と、特定遺贈（特定の具体的な財産によりなされる遺贈〈例：土地は妻に、預貯金は長男に〉）とがあります。

2. 包括遺贈のメリットとデメリット

(1) メリット

包括遺贈には、メリットとデメリットがあります。

割合だけを指定しているので、もし遺言書を書いた後に、財産の変動(例：預金が増え、不動産が減る等)があったとしても、包括遺贈の割合に応じて財産を分けることができますので、こういった時の経過による財産の変化に対応した遺言の書き方といえます。

(2) デメリット

デメリットとしては、実際に相続が発生した場合、個々の財産をどのように分割するかは、遺産分割協議により決めなければならないという点です。

被相続人の遺産が預貯金のみであれば特段問題はありません。しかし、遺産の内訳が不動産と預貯金といった場合はどうなるでしょうか。

もし、「財産の３分の２は妻に、残りを長男に」という包括遺贈がなされた場合は、例えば、２人とも預貯金だけを相続したい場合にどちらが不動産を取得するか、ということについて揉めてしまうかもしれません。

このように、せっかく遺言を書いたとしても、結果としてトラブルとなる恐れがあります。

遺言書は何度でも書き直しが可能ですが、はじめ包括遺贈の形式で書いた場合も、いずれは特定遺贈の形式で書き直しをすることをお勧めします。

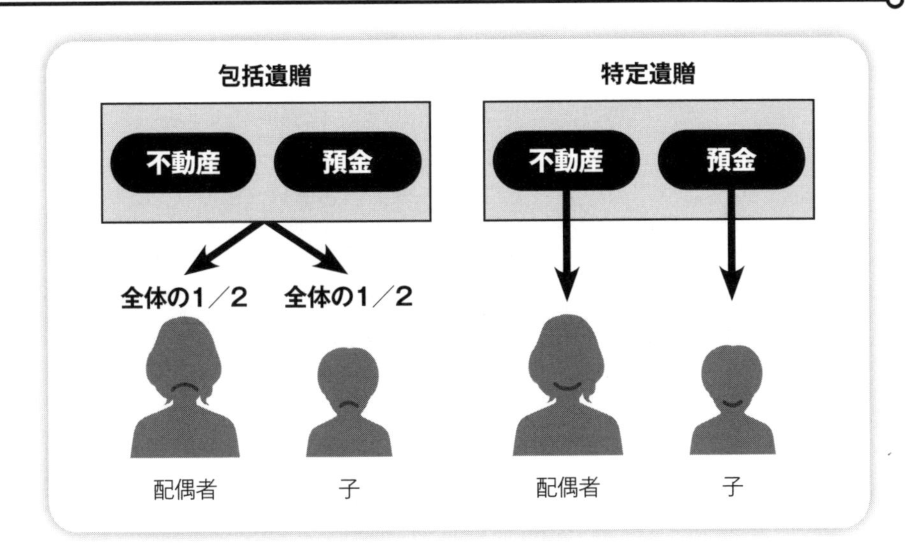
包括遺贈
不動産
預金
全体の1／2
全体の1／2
配偶者
子
特定遺贈
不動産
預金
配偶者
子

事例06

包括遺贈としなくて失敗

私の祖母は90歳で元気にしています。また、祖母の一人娘である私の母は、10年前に亡くなった父から相続した財産や自分で稼いだ財産があるため、ある程度は財産を持っております。私は、祖母の面倒を見ておりますが、ある時、祖母が財産を全て私に相続してほしいと言ってくれ、母も賛成してくれました。

そこで早速相続に詳しい友人に相談し、公正証書遺言を作成しました。遺言の内容は次のとおりです。

遺言公正証書

～略～

第1条　遺言者の保有する○○銀行の普通預金は、本郷太郎に遺贈する。

第2条　遺言者の保有する下記不動産は、本郷太郎に遺贈する。

所在　△△市△△町一丁目

地番　△△番

地目　宅地

地積　100㎡

～略～

その後、祖母が亡くなりました。祖母の財産は相続税の基礎控除を超えていたため、税理士に申告を依頼しました。私は孫であるため、2割増しで相続税を支払うこととなりましたが、母も財産を持っていたため、結果的には一代飛ばしできるため有利であったと理解しています。しかし、税理士から、この遺言は、包括遺贈ではないため不動産取得税がかかると言われました。

1. 孫に不動産を遺贈する場合、包括遺贈でないと不動産取得税がかかる。
2. 登録免許税は、相続人以外が相続すると軽減税率が使えない。
3. 相続人・包括受遺者以外は、債務や葬式費用を控除することができない。

[ポイント解説]

1. 特定遺贈と包括遺贈

通常、孫は相続人ではありませんので、遺産分割協議に参加できず、祖母の財産を相続することはできません。しかし、遺言があれば、祖母の財産を引き継ぐことができます。この場合、遺言の書き方によって、「特定遺贈」と「包括遺贈」の２種類の書き方があります。

特定遺贈は、その名のとおり、「△△市△△町の土地を○○に遺贈する」というように、遺贈する財産を指定して財産を遺すことをいいます。一方、包括遺贈とは、「財産の全てを○○に遺贈する」や、「財産のうち、○割を○○に遺贈する」というように、全部または、一定の割合で財産を遺すことをいいます。包括遺贈の場合、相続人と同等の権利義務を負うこととなるため債務も同じ割合で引き継ぐことになります。

2. 不動産を相続する時の諸税金

不動産を相続すると、不動産の名義を変える手続きが必要です。これを相続登記といいます。相続登記をする場合、法務局で登録免許税がかかります。登録免許税は､固定資産税評価額に下記の割合を乗じて計算します。

（土地・建物の登録免許税）

①相続……………1,000分の４

②遺贈、贈与……1,000分の20

本事例のように相続人でない孫が、遺贈で不動産を取得すると、特定遺贈、包括遺贈にかかわらず②の高い税率で登録免許税が計算されます。

不動産の登記をすると、その後、不動産取得税がかかります。ただし、相続による登記の場合、不動産取得税が非課税となるケースと、ならないケースがあります。

①非課税となるケース…………相続人が相続、相続人以外が包括遺贈で相続

②非課税とならないケース……相続人以外が特定遺贈で相続

本事例は相続人以外である孫が、特定遺贈で相続しましたので②に該当し、不動産取得税は非課税とならず、課税標準に対して、不動産取得税が課税されます。

（不動産取得税の税率）

令和６年３月31日まで　土地・家屋（住宅）……３％

家屋（非住宅）…………４％

（不動産取得税の課税標準）

課税標準は、固定資産税評価額となりますが、宅地の場合には、固定資産税評価額の２分の１が課税標準となります（令和６年３月31日まで）。

３．債務控除について

相続人・包括受遺者は、債務や葬式費用を相続税の計算上、控除することができます。しかし、それ以外の者は、負担付遺贈に該当しない限り、

債務や葬式費用を負担したとしても、相続税の計算上、原則として控除することができません。

4. まとめ

全体の財産のうち、一部の特定の財産を孫に遺すのであれば難しいかもしれませんが、本事例のケースのように、全て孫が相続する場合、移転にかかる税金だけをみれば包括遺贈のほうが安く済むこととなります。特定遺贈の書き方でなく、「全て孫に遺贈する」や、今回の遺言の続きで「その他全て一切の財産を本郷太郎に遺贈する」など包括遺贈としておくことで、不動産取得税を節約できたことになります。

また、孫を養子にすることにより、相続人となりますので、上記の登録免許税や、不動産取得税、債務控除の問題を解決することができます。孫へ財産を遺す場合には、養子縁組も検討すべきでしょう。

事例 07

遺留分侵害額請求の対応で失敗

数ヶ月前に父が亡くなりましたが、全財産を私に相続させる旨の遺言を残していました。母はすでに他界しており、他の相続人は10年以上連絡を取っていない私の弟です。弟は、以前から父・私とも仲が悪かったこともあり、父は、同居していた私に全財産を遺したのだと考えています。当然、明らかに弟の遺留分を侵害した遺言のため、遺留分について弟から請求があれば、不動産を一部渡して対応することはやむを得ないと思います。

ただ昨今の民法改正により、遺留分の請求に対応することで、税務上は想定外の課税が生じる可能性があることがわかりました。父には、きちんと専門家に相談をしてから遺言を書いてほしかったです。

1. 民法改正により、令和元年7月1日から遺留分制度が変わったことを知らなかった。
2. 遺留分の請求に対し相続した不動産を弟に渡すと譲渡税の対象となる。
3. 請求の結果、不動産を受け取った弟にも高額の登録免許税と不動産取得税がかかる。

[ポイント解説]

1. 民法改正の概要

民法（相続法）の改正により、遺留分減殺請求の金銭債権化が令和元年7月1日から施行され、遺留分権利者は受遺者または受贈者に対し遺留分侵害額に相当する金銭の支払いを請求することができるようになりました。名称も遺留分減殺請求から遺留分侵害額請求に変更されました。

従来は、遺留分減殺請求がなされると、共有状態が当然に生じることとされており、事業承継において支障となるケースが指摘されていましたが、改正による金銭債権化により、共有状態が当然に生じることを回避でき、遺贈や贈与によって目的物を受遺者や受贈者へ承継させたいという遺贈者や贈与者の意思を尊重できるようになりました。

2. 相続税の申告

「私」は、遺言に基づき全財産を取得していることから、相続税の申告期限までに遺留分の請求額が確定していない場合には、全財産を取得したものとして相続税の申告を行うことになります。

その後、弟から遺留分侵害額の請求があり、請求に基づき支払うべき金銭の額が確定した場合に、確定後４ヶ月以内に「私」は更正の請求を行うことができます。

３．譲渡所得税が発生することに

遺留分侵害額の請求がされた場合に、受遺者等が金銭で支払うことが困難である場合も想定されます。

この場合、当事者間の合意により金銭の支払いに代えて他の財産を給付することもあり得ますが、このような方法で遺留分侵害額に相当する金銭の支払請求に対する債務の弁済をすることは代物弁済に該当し、税務上は思わぬ課税の問題が生じることになります。

つまり、代物弁済によって移転する資産が不動産などの譲渡所得の基因となる資産の場合には、移転時に資産の譲渡があったものとされるため、「私」は、債務の履行により消滅した債務の額相当の金額で不動産を譲渡したこととなり、遺留分を請求した弟の不動産の取得価額は、同様に、消滅した債権の額相当の金額となります。

含み益がある資産を移転する場合、従来は遺留分権利者が将来譲渡した際に譲渡所得税を負担することとなっていましたが、改正による金銭債権化により、譲渡所得税の負担時期・負担者が変わることになりました。また、遺留分権利者が取得した不動産を第三者に譲渡する場合の保有期間は、代物弁済時からカウントすることとなりますので、譲渡所得の計算上、保有期間による長期・短期の区分についても注意が必要です。

なお、移転する不動産の時価と消滅する債権債務の金額に差額が生じることも想定されるため、なれ合い請求などによる恣意的な合意ではないか、当事者間の合意に至る経緯やその合意内容等を個々に判断し、消滅する債務額に基づく収入金額と消滅する債権額に相当する遺留分権利者の取得価額を決定することが求められます。

4．消費税にも注意

遺留分侵害額請求に対する支払いは代物弁済に該当することから、消費税法上も資産の譲渡等に該当し、事業用の不動産を支払いに充てる場合には、消費税の課税対象となります。

被相続人若しくは相続人が不動産賃貸業を含む事業を営んでいた場合など、相続開始年、相続開始年の翌年、相続開始年の翌々年に応じて、消費税の納税義務の判定が異なるため、遺留分侵害額に係る請求に応じる時期の、相続人の消費税の納税義務についても確認しておく必要があります。

5．登録免許税と不動産取得税

従来、遺留分減殺の請求がなされ相続財産である不動産を引き渡す際は、登録免許税は0.4％の課税で済んでいましたが、遺留分侵害額請求に係る代物弁済としての取り扱いとなったことにより、登録免許税は2.0％、さらに不動産取得税が課されることになりました。

含み益が少なく譲渡所得税の負担が少ない不動産が移転の対象となった場合には、従来と比べ、遺留分権利者から見た取得コストが高くなったと言えます。

6．今後の対策

遺留分制度の改正により、侵害額請求に伴う税負担が大きくなるケースが想定されます。遺留分侵害額請求をされる可能性が高い、請求に対して金銭での支払いが困難と見込まれる場合などで、遺留分請求が見込まれる相続人に承継させてもよいと考える含み益が大きい資産がある時は、その資産を、当初からその相続人に対する特定遺贈の対象にするなど、遺留分侵害額請求の対応に係る税負担を意識した遺言の作成が求められます。

MEMO

贈与

事例08　贈与しすぎて失敗

事例09　相続時精算課税制度を理解しないまま贈与を受けて失敗

事例10　アパートの贈与で注意！負担付贈与で失敗

事例11　配偶者贈与で思わぬ税金がかかり失敗

事例12　贈与契約は成立しているのに
贈与は認められない!……ナゼ?

事例 08

贈与しすぎて失敗

夫の三周忌をもうすぐ迎える未亡人です。夫は１億円近い金融資産と都内一等地に自宅を残してくれました。夫は私の老後を心配して、遺言で財産のほとんどを私に相続させ、４人の娘たちには、500万円ずつの現金を相続させると書いてくれましたので、遺言のとおり相続しました。

夫の死後、一人暮らしとなった私のところへ、娘たちが入れ替わり立ち替わりやってきました。ある日二女が、「お母さんにもしものことがあったら今度は配偶者の軽減がないのだから相続税が大変よ」と言い出しました。「孫やひ孫に学費の資金を贈与しても贈与税がかからない制度があって相続税対策になるって」と言い、二女の孫に教育資金の一括贈与の制度で1,500万円贈与しました。二女の孫に1,500万円贈与したことを聞きつけた三女、四女もそれぞれの孫に贈与してくれと言い出しました。「二女の夫は失業中、あなた方の夫はお金持ちでしょ」と言っても聞き入れず、三女、四女のそれぞれの孫へしぶしぶ贈与しました。何も言わなかった長女は、今度は、孫が結婚するにあたり、住宅を購入するので、1,000万円資金を援助してあげてと言い、それだけでなく「妹たちには1,500万円あげたのだから、公平にしてもらうために結婚・子育て資金の一括贈与で500万円も後で贈与してね」と請求してきました。

夫が残してくれた金融資産は、いつしか、1億円から2,000万円になってしまいました。私の収入は遺族年金だけですが、自宅の維持費も大変、思いのほか出費がかさみます。友人から、「教育資金や生活費の贈与はその都度あげれば、贈与税がかからないから、そんな大金を一度にあげなければよかったのに。相続税もそんなにかからないわよ」と聞き、なにも、自分の生活を切り詰めてまで孫たちに贈与することはなかったとつくづく早まった贈与を悔やんでいます。

【妻が相続した財産】

贈与しなかった場合の二次相続税

自宅	4,000万円
金融資産	8,000万円
合計	1億2,000万円
相続税	**790万円**

贈与後の二次相続税（※）

自宅	4,000万円
金融資産	2,000万円
合計	6,000万円
相続税	**60万円**

※贈与資金を使い切ったと仮定した場合

1. 相続税を減らすことだけを主眼にして生前贈与をしてしまった。
2. 生活費等はその都度贈与すれば贈与税がかからないことを知らなかった。
3. 生前贈与も公平に行わないと相続人間で問題を引き起こすことを考えなかった。
4. 自分の老後の資金計画を考えずに安易に生前贈与してしまった。

［ポイント解説］

1. 直系卑属への生活費等の一括贈与の非課税規定について

直系卑属へ贈与税がかからず一括して資金を贈与できる制度として、①1,500万円まで非課税の祖父母などから教育資金の一括贈与を受けた場合の贈与税の非課税制度、②1,000万円まで非課税の父母などから結婚・子育て資金の一括贈与を受けた場合の非課税制度、③年度によって非課税の金額が変わる住宅取得等資金の贈与を受けた場合の非課税制度が現在設けられています。

日本の金融資産のほとんどは高齢者が保有し、若年層は金融資産をほとんど保有しない現状から、相続まで待たず、または、相続を飛び越えて、若年層へ高齢者の資産を移転させ、景気を高揚させようとする政府の政策で現在、前述のとおり贈与税のかからない制度が設けられています。③の住宅取得等資金の贈与は、贈与した時点で相続財産から切り離せますので、相続税対策になるといわれています。一方、②の結婚・子育て資金の一括贈与は、贈与者が死亡した際に使い切れなかった残額がある時は、その残額に相続税がかかるので、相続税を減らすという観点からは、あまり相続税対策には向かないといわれています。また、①の教育資金の一括贈与についても令和３年４月１日以降の贈与については、贈与者死亡日において受贈者が23歳未満、学校等に在学中等を除き、使い切れなかった残額がある時は、その残額に相続税がかかるため、相続税対策としての効果が低くなったといわれています。

2. 生活費や教育費の贈与

扶養義務者相互間において生活費または教育費に充てるために贈与を受けた財産のうち「通常必要と認められるもの」については贈与税の課税対象とならないとされています。上記１との違いは、①必要な金額を②必要な都度、③直接学校等に支払う、ということが必要です。

数年分をまとめてもらって預金のままにしておいたり、もらった現金で株式や不動産を購入した場合は贈与税がかかることになります。

3. 生前贈与と相続

相続税がかかるような方には生前贈与は大変有効な相続税対策となります。ただし、本事例のように相続税対策として多額の生前贈与をする場合は、まずは、自分の相続税がいくらなのか計算してから実行に移してください。相続税を試算したら、相続税がかからない、心配するほどではなかったと知り、生前贈与を取り止める方もいます。また、贈与は相続人一人ひとりに公平に行わないと相続人間で問題を起こしかねません。１人の相続人やその子供や孫に多額の贈与をした場合は、他の相続人たちにも同じく贈与しなければならなくなりかねません。本事例の場合、上記２のように、二女の孫に本当に必要な都度お金を贈与するか、教育資金の一括贈与制度を利用して最初に二女の孫に贈与する際には、もっと少額の金額で贈与したほうがよかったでしょう。

事例**09**

相続時精算課税制度を理解しないまま贈与を受けて失敗

私の父は資産家で、私は一人息子です。父は自分が亡くなったら多額の相続税がかかってしまうことをとても気にしていて、110万円までだったら贈与税がかからないからと、毎年お金をもらっていました。

数年前に投資用としてワンルームマンションを買うことになり、いつもより多めに贈与をしてもらいたくて父に相談したところ、2,500万円出してくれることになりました。しかし、そのままもらってしまうと贈与税がかかるのではと、インターネットで調べると「相続時精算課税制度」を選択すれば2,500万円までは贈与税がかからなくて済むことを知り、自分で税務署への届出や申告を済ませました。また、その年だけは2,500万円をもらいましたが、翌年からは110万円に戻してお金をもらっていました。

昨年父が亡くなり、相続税の申告をすることになりましたが、過去に2,500万円の援助を受けていたことはすっかり忘れてしまい、税理士には伝えずに申告書を提出してしまいました。

その後、税務署から連絡があり、「相続時精算課税制度による贈与財産」が相続税申告書に記載されていないとの指摘がありました。さらに、2,500万円をもらった翌年以降に父から毎年もらっていた110万円についても、贈与税の期限後申告と相続税申告書への追加計上をしなくてはならず、延滞税や加算税も含めて多額の納税をすることになってしまいました。

【誤った申告】

贈与額	110万円	2,500万円	110万円	110万円	110万円	110万円
贈与税申告	申告なし	精算課税申告	申告なし	申告なし	申告なし	申告なし
相続税申告	—	—	—	3年内贈与加算で申告		

【正しい申告】

贈与額	110万円	2,500万円	110万円	110万円	110万円	110万円
贈与税申告	申告なし	精算課税申告	精算課税申告	精算課税申告	精算課税申告	精算課税申告
相続税申告	—	精算課税贈与加算で申告				

1. 相続時精算課税制度は、贈与税が非課税でも相続時に「相続税」として精算されることを知らなかった。
2. 相続時精算課税制度を選択して申告した翌年以降は、110万円以下であれば贈与を受けても贈与税がかからないと誤認していた。
3. インターネットなどで検索して判断し、税理士等の専門家に相談せずに実行してしまった。

[ポイント解説]

1. 相続時精算課税制度の概要

相続時精算課税制度は、「生前相続」とも呼ばれるように、贈与時の税負担を少なくしておいて、相続時に後払い（精算）する制度ですが、非課税枠2,500万円という数字だけが一人歩きをして、制度をよく理解しないまま使っている方が多いようです。

<相続時精算課税制度の概要>

非課税枠	選択後、一生の累計額2,500万円
適用対象者	贈与者は満60歳以上の親や祖父母（注）
	受贈者は満20歳以上の子や孫（養子を含みます）（注）
申告	必ず届出及び申告が必要
税率	一律20%
相続税との関係	相続発生時に、贈与財産は全て相続財産に持ち戻され相続税が計算されます。

（注）贈与年の1月1日における年齢により判定

つまり、累計2,500万円まで非課税というのはあくまでも「贈与税が非課税」というだけであり、相続税も含めて税金が全くかからないということではありません。

なお、年110万円までは非課税という通常の制度(これを「暦年課税制度」といいます)についても、相続開始前3年内の贈与については、贈与財産の価額を相続財産に加算する「3年内贈与加算」という仕組みがありますが、相続時精算課税制度による贈与については、3年を超える、例えば10年以上前の贈与であっても、制度選択後の贈与について全て相続財産に加算して相続税の申告をしなければなりません。

2. 相続時精算課税制度と暦年課税制度の選択

相続時精算課税制度を選択した後は、その選択をした父母・祖父母からの贈与について暦年課税制度を使うことができません。したがって、例えば父からの贈与について相続時精算課税制度を選択して2,500万円をもらった後、父から110万円の贈与を受けた場合には、110万円×20%=22万円の贈与税を申告し、かつ、父の相続時には2,500万円だけでなく110万円も相続財産に加算して、相続税で精算しなければなりません(この場合に、すでに支払った22万円の贈与税は相続税の前払いとして相続税から控除することができます)。

相続時精算課税制度の選択にあたっては、メリットだけではなくデメリットもしっかり理解する必要がありますので、税理士等の専門家に相談したほうがよいでしょう。

事例 **10**

アパートの贈与で注意！負担付贈与で失敗

私の父はアパートを複数保有しています。先日税理士のセミナーでアパートの建物を子に贈与すると相続対策になるということを聞き、私は父から建物３棟の贈与を受け、相続時精算課税制度の適用を受けました。

建物のうち１棟のアパートには銀行からの借入金がまだ残っています。この借入金は父が返済せずに、建物を引き継いだ私が返済していく予定です。

しばらくして税務調査がきました。税務署の調査官からこの贈与については負担付贈与になる、ということで指摘を受けることになりました。

（建物の評価額）

A棟	相続税評価額	1,500万円
B棟	相続税評価額	1,500万円
C棟	相続税評価額	2,000万円 （時価4,000万円）
借入金		1,500万円

※時価＝簿価と仮定

【当初申告】

贈与税：

（A棟1,500万円+B棟1,500万円+C棟2,000万円−1,500万円）

−2,500万円=1,000万円

1,000万円×20%=200万円

【税務署の指摘】

贈与税：

（A棟1,500万円+B棟1,500万円+C棟4,000万円−1,500万円）

−2,500万円=3,000万円

3,000万円×20%=600万円

譲渡所得：

1,500万円−4,000万円=△2,500万円

※借入金の金額が時価の２分の１未満のため損失はなかったものとされます。

【結果】

差額400万円の贈与税のほか、延滞税、過少申告加算税の納付をしました。

1. 負担付贈与の場合には、相続税評価額ではなく、時価で贈与税を計算することを知らなかった。
2. 税理士のセミナーをそのまま鵜呑みにして、自分で贈与を実行してしまった。

[ポイント解説]

1．建物贈与で所得分散

建物に家賃収入がある場合の、家賃収入の帰属は建物の名義人になります。もともと資産家の方で相続税がたくさんかかるような場合には、その家賃収入から経費や税金等を引いた手取部分の現金が、どんどん蓄積されていき、相続財産の増加となります。

そこでこのような場合に、賃貸にしている建物のみを子供に贈与すると、家賃収入の帰属が子供に移ることから、現金の増加を抑制し、かつ子供のほうで将来の相続税の納税資金を貯めておくことができます。

2．負担付贈与にはご注意を

この建物を贈与するスキームにおいて気をつけなければならないことは「負担付贈与」です。

負担付贈与とは、もらった側に債務を負担させることを条件にした財産の贈与をいいます。個人から負担付贈与を受けた場合は贈与財産の価額(時価)から負担額を控除した価額に贈与税が課税されることになります。

また、贈与した親は借入金の負担がなくなりますので、借入金相当で売却したとみなされて譲渡所得課税を受けることになります。その際、借入金の金額が、時価の２分の１未満である時は、譲渡損失はなかったものとみなされ、他の譲渡所得と損益通算をすることができません。

負担付贈与の場合の建物の評価額は、相続税評価額ではなく、時価となり、贈与税の負担が思いがけず高くなる可能性がありますので注意が必要です。

贈与

3. 借入金はなくても敷金はある

それでは借入金がないから安心か、というとそういうわけではありません。賃貸している建物には、敷金や保証金等の返還するべき債務を負っているケースがほとんどです。もしも敷金相当額の現金のやりとりがない時は、負担付贈与に該当し、思わぬ負担となってしまうことが考えられます。負担付贈与にならないよう、敷金相当の現金も合わせて、贈与者から受贈者に移す必要があります。

4. 土地までは贈与しないことが一般的

この建物を贈与して所得分散をするスキームは、贈与は建物のみのケースが一般的です。土地まで贈与すると贈与税の負担が重くなります。家賃収入は建物に帰属しますので建物のみで構いません。また、相続後は、もらった子供が事業を継続していきやすくするために、遺言で土地の行き先を決めてあげることも重要です。ただし、土地と建物の所有者が異なることにより、土地の相続税評価額が高くなる可能性もありますので注意が必要です(事例47参照)。

本事例は相続時精算課税制度で建物を贈与しましたので、将来の相続の時に持ち戻すのは建物だけです。その建物からの家賃収入は持ち戻す必要はありません。ここが大きなメリットの１つです。

その他、親の所得税の負担が大きい時は、資産管理会社を作って会社に売却する、という方法もあります。どの方法がいいかは税理士にご相談ください。

事例 11

配偶者贈与で思わぬ税金がかかり失敗

私たち夫婦は平均的なサラリーマンの家庭で、決してゆとりのある暮らしではありませんでしたが、妻のやりくりのおかげで、子供たち３人を無事大学まで卒業させることができました。

昨年、知人が相続対策のため妻へ自宅を贈与したという話をしていました。どうやら20年以上連れ添った夫婦であれば、自宅を最高2,110万円まで贈与しても、贈与税がかからないというのです。我が家に相続対策が必要なのかどうかは全くわかりませんでしたが、どうせ贈与税がかからないのだからと思い、妻への愛情と感謝の気持ちをこめて、自宅をプレゼントすることに決めました。調べたところ、土地の評価は4,000万円、家は木造住宅で築35年のため評価額は低く200万円でした。そこで、土地と家屋、それぞれ２分の１ずつの持分を贈与することにしました。

無事、贈与契約書を交わし、司法書士に名義変更手続きを依頼したところ、思わぬ説明をされました。司法書士報酬は覚悟していましたが、登録免許税として42万円もかかるというのです。さらに贈与後半年ほど経ったころ、県税事務所から不動産取得税として33万円もの納付書が妻に届きました。私たち夫婦にとっては、思わぬ出費となってしまいました。

翌年になり贈与税の申告をしようと税理士に相談した際、思わぬ税金がかかってしまったという話をしたところ、税理士が「相続で不動産を移転した場合には、登録免許税は贈与の場合の５分の１ですし、また、相続であれば不動産取得税はかからないのです。しかもお客様の場合、自宅については小規模宅地等の特例を適用できるため、自宅を含めて相続しても相続税はかからなかったのですよ。今回は特に贈与をする必要はありませんでしたね」というのです。

妻に感謝の気持ちを伝えようと思ったのですが、妻のほうに思わぬ税金の負担を掛ける結果となってしまいました。

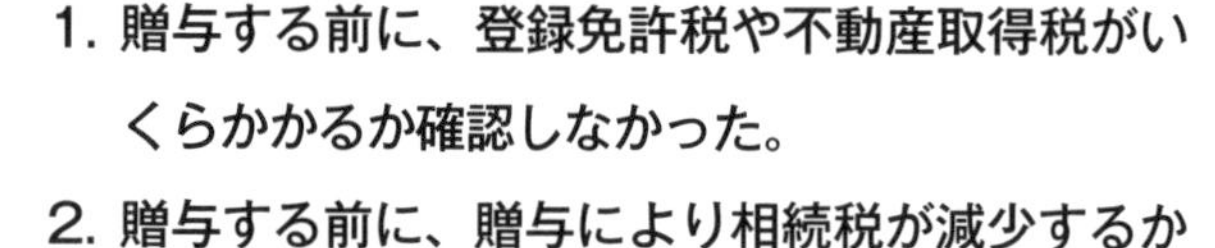

1. 贈与する前に、登録免許税や不動産取得税がいくらかかるか確認しなかった。
2. 贈与する前に、贈与により相続税が減少するかどうかを確認しなかった。
3. 知人の話を聞いて、税理士等の専門家に相談せずに実行してしまった。

［ポイント解説］

1．夫婦の間で居住用の不動産を贈与した時の配偶者控除の概要

婚姻期間が20年以上の夫婦の間で、居住用不動産または居住用不動産を取得するための金銭の贈与が行われた場合、基礎控除110万円のほかに最高2,000万円まで控除できるという特例があります。

2．不動産移転にかかる贈与税以外の税金

贈与により不動産を移転した場合には、贈与税は非課税であっても、登録免許税や不動産取得税が相続時の移転に比べて高くなります。したがって生前贈与すべきかどうかは、十分に検討が必要です。

<所有権移転にかかる登録免許税の税額>

内容	土地	建物
相続による移転	固定資産税評価額×４／1000	
贈与による移転	固定資産税評価額×20／1000	

<不動産取得税の税額>

内容	土地	建物（住宅）
相続による取得	非課税	
贈与による取得	固定資産税評価額 ×１／２（※１） ×３／100（※２）	固定資産税評価額 ×３／100（※２）

(※1)令和6年3月31日までに宅地等を取得した場合は、取得した不動産の価格に2分の1を乗じます。
(※2)令和6年3月31日までの取得の場合。
(注)新築住宅・一定の中古住宅の場合には、不動産取得税について軽減措置の適用があります。

3. 相続と贈与、どっちがお得?

では、相続と贈与どちらで移転したほうがお得なのでしょうか。これは個々のケースにより異なります。

相続により被相続人の自宅を配偶者が取得した場合には、小規模宅地等の特例を適用することにより、土地の評価を330平米まで80%減額することができます。

さらに、配偶者が相続により取得した財産については、配偶者の税額の軽減の特例を適用することにより、1億6,000万円または配偶者の法定相続分相当額のいずれか多い金額までは相続税がかからない制度があります。

これらの特例を活用しても、自宅を生前贈与したほうが相続税の負担が低くなる場合には、贈与を検討するべきでしょう。ただし、登録免許税や不動産取得税の負担額についても合わせて考慮する必要があります。

いずれの場合でも、贈与によって相続税がいくら減少するのか、その代わりに贈与によって登録免許税や不動産取得税がいくら増加するのか、試算をする必要があります。

贈与を実行する前に、税理士等の専門家に相談したほうがよいでしょう。

事例 12

贈与契約は成立しているのに贈与は認められない！……ナゼ？

家族関係は以下のとおりです。

<P家の家族関係図>

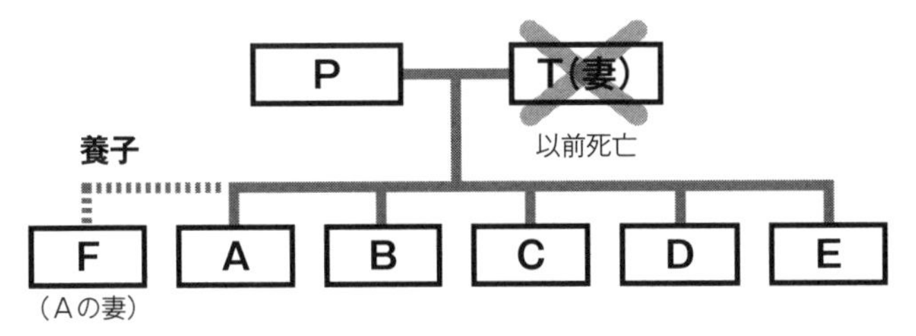

A等＝A、B、C、D、E、F

平成10年8月1日、妻Tの100日の法事の席（A、B、C、D、E、F全員参加）で下記のような会話がありました。

P：お前たちに定期預金を作ってやるぞ！

A等：わーい、うれしいな。お父さんありがとう。（A等＝A～Fまで全員）

Ｐは実際にＰの預金等を集めてＡからＥまでの名義で５人に各100万円の定期預金証書を作成しました。なぜかＡの妻で養子のＦの定期預金証書だけは作成されませんでした。

その５年後の平成15年８月13日に自宅での食事会の場所で同じような下記の会話がありました。

Ｐ：おまえたちに、平成15年と平成16年にそれぞれ110万円ずつ贈与して定期預金証書を作ってやるぞ！

Ａ等：わーい、たびたびありがとう。２年にわたって110万円もらえるなんてとても助かります。

Ｐは平成15年12月25日と平成16年１月６日にそれぞれＡ等全員６人に各110万円の定期預金証書を作成しました。

<各定期預金の明細及び預け入れの状況>

（単位：円）

預入金融機関	Q信用金庫g支店					
預入日	平成10年8月24日		平成15年12月25日		平成16年1月6日	
区分／名義人	口座番号	預入金額	口座番号	預入金額	口座番号	預入金額
A	○○○○	1,000,000	○○○○	1,100,000	○○○○	1,100,000
B	○○○○	1,000,000	○○○○	1,100,000	○○○○	1,100,000
C	○○○○	1,000,000	○○○○	1,100,000	○○○○	1,100,000
D	○○○○	1,000,000	○○○○	1,100,000	○○○○	1,100,000
E	○○○○	1,000,000	○○○○	1,100,000	○○○○	1,100,000
F	—	—	○○○○	1,100,000	○○○○	1,100,000

ただし、上記３回（平成10年、平成15年、平成16年）とも贈与契約書は作成されていませんでした。

それから３年後の平成19年５月某日にＰは亡くなりました。相続税申告書を提出してその後に相続税調査が行われました。その調査では先の定期預金証書が問題となり、それらは全て相続財産であると認定されたので異議申立てから審査請求をしました。

最終的には、「ＰとＡ等との間で、各定期預金証書に関する書面によらない贈与契約がそれぞれ成立したものと認められる。しかし、書面によらない贈与は、その履行が終わるまでは当事者がいつでもこれを取り消すことができることから、その履行前は目的財産の確定的な移転があったということはできない。したがって、この場合の贈与の有無、すなわち、目的財産の確定的な移転による贈与の履行の有無は、贈与されたとする財産の管理・運用の状況等の具体的な事実に基づいて、総合的に判断すべきである。これらの預金証書と印鑑は、被相続人が引き続き管理していたと認められるので、財産の確定的な移転による贈与があったとは認めることはできない」との判断が下されました。

ということでこの定期預金証書は全て相続財産となってしまったのです。

これから、じっくりと失敗のポイントを見ていきましょう。

1. 贈与契約書を作成していませんでした。

ＰとＡ等との間で､｢あげるよ｣｢もらうよ｣との合意があったことは税務署も認めています。ですから、ＰとＡ等相続人との間で、これらの定期預金に関する書面によらない贈与契約が成立したものと認定されています。ですが、下記の届出印と定期預金証書の保管状況から、贈与の履行(事実上の贈与)が終了したとはいえないので、贈与財産の確定的な移転があったとは認められないと判断されてしまいました。

2. 届出印は誰のものか。

それらの定期預金証書の届出印は、いくつかあるＰの印鑑で作成されていました。そのＰの印鑑の保管場所はＰの自宅の寝室の枕元に置かれた時計の引き出しの中に保管されていました。そして届出印は口頭による贈与契約成立後も、相続人の各人の印鑑に変更されてはいませんでした。

3. 定期預金証書はどのように保管されていたのか。

作成された定期預金証書は、当初、Ｐが所有する手提げ金庫に保管されていましたが、盗難のおそれがあることから、Ｐから長男Ａに手渡され、Ａが自分の耐火金庫に保管していました。つまり、Ｐの指示でＡの金庫に保管するようになったわけです。ですから相続人の各人には手渡されてなかったので管理・保管を被相続人が行っていたと認定されてしまいました。

４．贈与は履行されたといえるのか。

○その定期預金証書に関する贈与契約書は作成されていません。

○その定期預金証書の印鑑は相続人の印鑑に変更されていません。

○その定期預金証書を各相続人が自分で管理していません。

定期預金証書の名義は変わっていますが、その証書を自由に運用するにはその定期預金証書そのものと届出印が必要となります。

相続人がその定期預金証書を生前に自由に使える状態ではなかったので事実上の履行が終了していない、つまり財産の確定的な移転はなかったと認定されてしまいました。したがってＰの相続財産となったわけです。

[ポイント解説]

1. 贈与契約書の重要性

民法549条は、贈与は当事者の一方が自己の財産を無償で相手方に与える意思を表示し、相手方が受諾することによって、その効力を生ずると規定されています。

つまり、「あげるよ」「もらうよ」と口頭で合意できれば贈与契約は成立することになります。

その一方で、民法550条は、書面によらない贈与は、各当事者が撤回することができますが、履行が終わった部分についてはこの限りでない旨を規定しています。

つまり、贈与契約書を作成しない口頭による贈与契約の場合には、その履行（事実上の財産移転、上記裁決では「財産の確定的な移転」）が終わらなければ、いつでも取り消すことができることになります。

ですから、まず贈与契約書を必ず作成する必要があります。

このケースで、仮に贈与契約書が作成されていれば結論は異なり、生前贈与が認められていたと考えられます。

2. 届出印の改印は大事です

これらの定期預金証書の届出印を、A等は自分たちの固有の印鑑に改印するための手続きを行っていませんでした。つまり従来どおりPの印鑑のままになっていたのです。自分の預金であれば自分の印鑑に改印する必要があります。

3. 預金証書を渡してください

贈与契約成立後も、Pが預金証書を保管していたので各相続人には渡されていませんでした。現物の預金証書と自分の印鑑が揃って初めて自由に運用できるので、必ず預金証書の現物の引き渡しをし、もし紛失したのであれば再発行してもらう手続きが必要です。

贈与契約書もない、相続人の印鑑への改印もない、証書の再発行手続も行っていない、このような状態ですと贈与の履行が終わっていないことになります。

したがって、完璧な贈与を目指すのであれば、贈与契約書を作成して、印鑑も改印して、預金証書を手渡してもらってください。そうすればその預金証書を自由に自分のものとして運用できるので、この状態であれば正に贈与財産の確定的な移転があったと言えると思います。

MEMO

生命保険

事例13　被保険者を相続人にした保険ばかり契約して失敗

事例14　保険金を分割できなくて失敗

事例15　生命保険金から代償金を支払えず失敗

事例16　受取人のチェックをせずに失敗

事例17　リビングニーズ特約で失敗

事例18　非課税を理解せずに失敗

事例 13

被保険者を相続人にした保険ばかり契約して失敗

私の父は先日亡くなりましたが、相続人は、母と息子である私、妹の合計３人です。

父は生前、保険のセールスマンから勧められ、様々な種類の保険に加入していました。

父が亡くなってから、私は保険の請求手続きをしましたが、父が契約していた保険のうち、２本しか死亡保険金がおりませんでした。死亡保険金の合計金額は、1,000万円でした。父の財産は現預金が少なかったので、死亡保険金を今後の生活費や相続税の納税資金としてあてにしていたのですが、もらえる保険金が少なくて困りました。

父が契約していた保険について内容を確認したところ、死亡保険金を受け取った保険以外については、被保険者が私になっていたため、父が亡くなっても保険金がおりない契約内容になっていました。これらの保険については、相続時点の権利評価額700万円を相続財産に計上しなければならない、と税理士に言われました。

さらに、私が契約者及び被保険者となっていて、父に保険料を負担してもらっていた保険の権利評価額300万円についても、父の相続財産とみなされるため申告に含めなくてはならない、と税理士から説明を受けました。

結局、もらえる保険金が少ないにもかかわらず、父の相続財産が増えてしまいました。

しかも、死亡保険金1,000万円は非課税の対象となりますが、それ以外の保険契約については非課税枠が使用できないそうです。

＜父の相続財産となる保険契約＞

非課税枠
切り捨て

死亡保険金　1,000万円

生命保険金の
非課税限度額
1,500万円
（500万円×法定相続人の数3人）

被保険者　息子、契約者　父　700万円

被保険者　息子
契約者　息子（保険料負担者　父）　300万円

相続税の課税対象
1,000万円

1. 死亡保険金について、生命保険金の非課税枠を使い切れなかった。
2. 相続発生時に、保険金がおりない保険契約が多かった。
3. 保険契約上の契約者と、実際の保険料負担者が違ったため、課税関係が複雑になってしまった。

［ポイント解説］

1. 生命保険金の非課税枠

死亡保険金を受け取った時には、一定額まで相続税が非課税となります。

<生命保険金の非課税の概要>

非課税限度額	500万円×法定相続人の数
適用対象者	相続人
対象財産	死亡保険金
対象とならない財産	入院給付金、生命保険契約に関する権利、定期金に関する権利など

本事例の場合には、法定相続人は３人ですから、非課税限度額は、500万円×３人で計算すると、1,500万円となります。死亡保険金として1,000万円を受け取っていますから、非課税枠の範囲内に収まり、死亡保険金には相続税がかかりません。

ただし、使い切れなかった非課税枠1,500万円－1,000万円=500万円は、切り捨てとなります。最大限に非課税枠を有効に使うためには、あと500万円は父を被保険者とする死亡保険に加入しておいたほうが良かったといえます。

2. 被保険者は誰か

生命保険契約は、被保険者が死亡した時に、保険金を受け取ることができます。よって、父が死亡した時に、息子を被保険者とした保険については、何も受け取ることができません。にもかかわらず、父が契約者となっていた保険契約については、原則解約返戻金相当額を父の相続財産として計上する必要があります。

さらに、生命保険金の非課税の適用対象ともならないので、全額が相続税の課税対象となってしまいます。

3. 保険料の負担者が大事

税務上は、誰が契約者かではなく、実際に誰が保険料を負担していたかが問題となります。

たとえ、息子が契約上の契約者となっていても、実際に父が保険料を負担していれば､父の相続財産とみなして申告すべきことになります。また、上記2と同様に、被保険者が息子であれば、生命保険金の非課税枠が適用されません。

事例14 保険金を分割できなくて失敗

このたび父が亡くなりました。相続人は私と弟の2人です。父が残した財産は私と父が同居していた自宅と私が受取人になっていた生命保険です。

自宅は私が住んでいるものなので、私が受取人になっていた生命保険金5,000万円を遺産分割し、弟に2,000万円相続させようと考えています。

なお、生命保険契約の契約者、被保険者は亡くなった父で、死亡保険金受取人は私です。生命保険の保険料は父が負担していました。

保険会社に、生命保険は弟と遺産分割するので、私に3,000万円、弟に2,000万円支払うように依頼しましたが、受取人にしか支払えないとのことでした。

（死亡保険金と税金）

ケース1	**契約者（=保険料負担者）が妻、被保険者が夫、死亡保険金受取人が妻**	➡	**所得税・住民税の課税対象**
ケース2	**契約者（=保険料負担者）が妻、被保険者が夫、死亡保険金受取人が子**	➡	**贈与税の課税対象**
ケース3	**契約者（=保険料負担者）が父、被保険者が父、死亡保険金受取人が子**	➡	**相続税の課税対象**※

※ 死亡保険金受取人が相続人（放棄者を除く）の場合には、死亡保険金の非課税（500万円×法定相続人の数）が適用

1. 受取人の指定がある生命保険金は、被保険者が死亡した場合に死亡保険金受取人が保険会社から直接死亡保険金を受け取る。これは生命保険契約に基づく受取人としての固有の権利と考えられ、相続によって被相続人から承継される財産ではない。
2. 税務的には、みなし相続財産として相続税の課税対象になるが、あくまで相続財産と「みなして」課税対象にしているため、受取人固有の権利である死亡保険金を分割することはできない。もし、遺産分割で弟が取得した場合、兄からの贈与になる場合があるので注意が必要。

［ポイント解説］

1. 生命保険金の課税関係

生命保険契約の税金は、その契約形態により異なります。

（ケース1）

契約者（=保険料負担者）が妻、被保険者が夫、死亡保険金受取人が妻の契約形態で夫が死亡した場合、妻が受け取った死亡保険金は所得税・住民税の課税対象になります。

考え方としては、契約者（=保険料負担者）と死亡保険金受取人が同じ場合です。

（ケース2）

契約者（=保険料負担者）が妻、被保険者が夫、死亡保険金受取人が子の契約形態で夫が死亡した場合、子が受け取った死亡保険金は贈与税の課税対象になります。

考え方としては、契約者（=保険料負担者）、被保険者、死亡保険金受取人がそれぞれ異なる場合です。

（ケース3）

契約者（=保険料負担者）が父、被保険者が父、死亡保険金受取人が子の契約形態で父が死亡した場合、子が受け取った死亡保険金は「みなし相続財産」として相続税の課税対象になります。

考え方としては、契約者（=保険料負担者）と被保険者が同じ場合です。この契約形態で、死亡保険金受取人が相続人（放棄者を除く）の場合には、死亡保険金の非課税（500万円×法定相続人の数）が適用できます。

2. 死亡保険金を遺産分割できるか

受取人の指定がある生命保険金は、被保険者が死亡した場合に死亡保険金受取人が保険会社から直接死亡保険金を受け取ります。これは生命保険契約に基づく受取人としての固有の権利と考えられ、相続によって被相続人から承継される財産ではありません。

民法においては、相続の一般的効力として、相続人は相続開始の時から被相続人の財産に属した一切の権利義務を承継します。相続人が数人いる時は、相続財産はその共有に属し、各共同相続人はその相続分に応じて被相続人の権利義務を承継するのが原則です。

しかし、受取人の指定がある生命保険金は、この民法の規定には該当しません。

税務的には、みなし相続財産として相続税の課税対象になりますが、あくまで相続財産と「みなして」課税対象にしているため、受取人固有の権利である死亡保険金を分割することはできません。もし、遺産分割で弟が取得した場合、兄からの贈与になる場合がありますので注意が必要です。

死亡保険金の他、死亡退職金なども同様にみなし相続財産になります。このように、民法上の遺産ではないが、税務上は遺産と「みなして」課税するものがあります。

事例 15

生命保険金から代償金を支払えず失敗

父に相続が発生しました。相続人は私と妹です。母が５年前に死亡してから、父は自宅を売却し、私の家の近くの賃貸の老人ホームに住んでいました。父の財産を調べてみると、預金1,000万円のほか、私が受取人となっている生命保険が4,000万円ありました。生前、私が父の面倒を見ていたため、生命保険の受け取りは私だけになっていました。

後日、妹と遺産分割協議をすることになり、預金の1,000万円は妹に相続してもらうこととしましたが、私は受け取った生命保険金の金額が多いので、受け取った4,000万円から1,000万円ほど妹に渡してあげてもよいと思っておりました。インターネットで調べたところ、遺産分割には代償分割という方法があり、受け取った相続財産の一部を他の相続人に支払ってもよいと書いてあったので、妹に1,000万円を渡そうと思っております。

相続税についても調べたところ、私たちの場合の基礎控除は4,200万円（3,000万円+600万円×法定相続人の数２人）であるため、相続税の申告が必要かどうか、税理士に相談しました。その結果、生命保険金の非課税枠が1,000万円あるため、相続財産が基礎控除以下の金額となり、相続税の申告は不要ということでした。

ただ、念のため、生命保険金から妹に1,000万円代償金として支払いたい旨を相談したところ、その方法では妹様に贈与税がかかってしまいますので検討したほうがいい、と言われてしまいました。

1. 生命保険金を代償金として妹に支払った場合には、一旦兄が受け取った生命保険金を、妹に贈与することになるため、妹に贈与税がかかってしまいます。
2. 生命保険金は代償分割をする際に非常に有効な方法といえますが、他に相続する財産があることが前提となります。

［ポイント解説］

1．生命保険金

生命保険金は相続財産ではなく、受取人固有の財産であり、遺産分割協議の対象とはなりません。よって、生命保険金しか受け取っていない相続人がその保険金の一部を代償金として支払ったとしても代償分割になりません。

よって、生命保険金を受け取った兄が、その保険金から妹に代償金を支払った場合には、単純に妹に対する贈与となってしまいます。贈与税は年間110万円を超えた場合に課税されますから、妹には1,000万円に対する贈与税が課されてしまいます。もし税金の負担なく、妹に財産を分けたい場合には、贈与税の基礎控除以下の金額で毎年贈与するといった方法が考えられますが、そもそも父が生命保険に加入する際に、少し生命保険金の金額を考慮すればよかったといえます。

なお、相続税法においても、生命保険金は「みなし財産」とされており、相続財産とみなして相続税の対象とするという考え方となっております。

2．生命保険金を活用した代償分割

本事例のケースでは、妹に対して贈与税がかかってしまいますが、生命保険金を使って代償金を支払う成功例もあります。

【具体例】

被相続人：父、相続人：兄と妹

相続財産は自宅5,000万円（父と兄同居）、預金2,000万円、生命保険2,000万円（兄受取）

遺産分割としては、自宅は同居している兄が相続し、預金は妹が相続する予定

<代償分割をしない場合>

財産	金額		兄	妹
自宅	5,000万円	➡	5,000万円	
預金	2,000万円			2,000万円
生命保険金	2,000万円		2,000万円	
			7,000万円	**2,000万円**

→相続分に差が出てしまう

<代償分割をする場合>

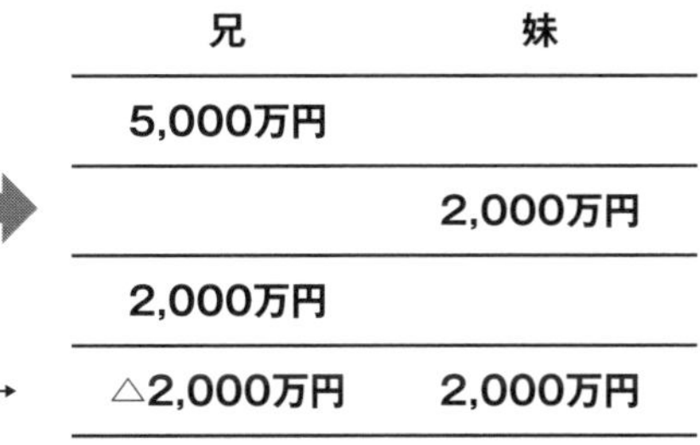

財産	金額		兄	妹
自宅	5,000万円	➡	5,000万円	
預金	2,000万円			2,000万円
生命保険金	2,000万円		2,000万円	
兄から妹へ代償金の支払い		→	△2,000万円	2,000万円
			5,000万円	**4,000万円**

相続した財産の範囲内であれば代償金を支払っても贈与にはなりません。上記のように、兄は生命保険金以外に自宅という不動産を相続しており、代償金2,000万円がその不動産の金額5,000万円の範囲内であるため、代償分割として代償金を妹に支払うことが可能となります。

なお、相続税の計算においても、父と同居していた兄が自宅を相続することにより、小規模宅地等の特例を受けることができるため有利となります。

事例 16

受取人のチェックをせずに失敗

私の父のきょうだいは妹１人でした。妹は夫と離婚してからは、生命保険の外交員をしながら、生計を立てていました。父は妹を助けるため、妹の勤務先の生命保険会社の生命保険に入りました。妹の２人の子供、長男と長女は、成人してからは全く母親の面倒を見ることなく、家を飛び出し、東京で遊びまわっていたため、結局、妹が亡くなるまで父が妹の一切の面倒を見ていました。父は、甥と姪の２人をひどく怒り、妹の葬儀の後は一切連絡を絶ち、絶縁関係でいました。

父は妹や甥や姪だけでなく、私のたった１人のきょうだいである弟にも手を焼いていました。弟はギャンブル好きで、借金をしては、父にお金の無心に来ていたからでした。父はいつも「私が死んだら、弟には絶対私の財産を渡さないように」と母と私に言っていました。

苦労がたたったのか、父が先日急死しました。父の遺産の中に亡くなったおばさんの勤務先の生命保険会社で加入した生命保険証書が２通出てきました。内容をみて母と私は愕然としました。1通の3,000万円の生命保険の受取人は、亡くなったおばさん、もう1通の5,000万円の生命保険の受取人は、相続人となっていたからでした。生命保険会社へこの2つの生命保険金は誰が受け取るのかと問い合わせたところ、受取人が亡くなったおばさんになっている生命保険は、おばさんの相続人であるおばさんの2人の子供、受取人が法定相続人となっている生命保険は、私の母と私と弟が法定相続分の割合でもらうことになるという返事をもらいました。生前父が絶縁していた2人の甥と姪、そして、財産をあげたくないと言っていた自分の二男に保険金がいくことになるとは父もまさか考えていなかったと思うと父が気の毒でなりません。保険金は取り返そうと思っていますが、取り返せても贈与税がかかるらしく迷っています。

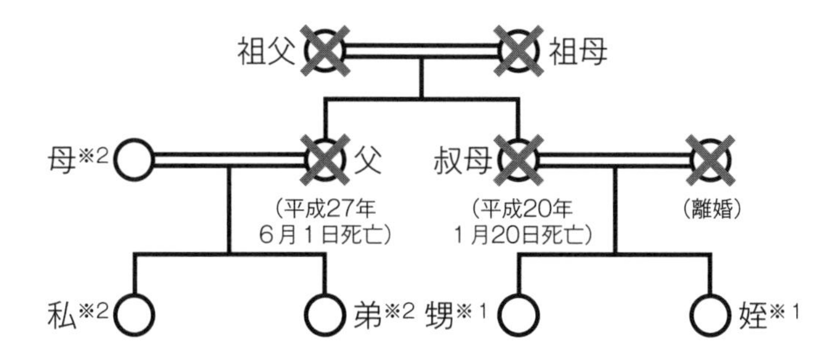

※1　受取人が叔母の3,000万円の生命保険金は、甥と姪の頭数で割った1,500万円をそれぞれ受け取る
※2　受取人が相続人の5,000万円の生命保険金は、母が法定相続分である2分の1の2,500万円、私と弟がそれぞれ法定相続分である4分の1の1,250万円を受け取る

1. 保険金受取人が死亡しても、受取人変更の手続きをしていなかった。
2. 若いころに保険を契約していたため、当時は受取人を決めることができず、とりあえず「相続人」としていた。
3. 自分の保険契約の内容について生前に一切検討することはなかった。

[ポイント解説]

1. 生命保険金の受取人が契約者及び被保険者より先に死亡した場合

生命保険金の受取人が、契約者及び被保険者より先に死亡した場合で、契約者がその後受取人を再指名しないままでいた場合、契約者及び被保険者の死亡の時における受取人の法定相続人が受取人になります(保険法第46条、第75条)。

この場合、受取人として、「法定相続人」という地位を使うだけであり、先に死亡した受取人の権利を相続するものではないという考え方のため、複数の受取人がいる場合は、法定相続分の割合ではなく、平等の割合で取得することになります。

本事例の場合は、父の妹が受取人となっている生命保険は、妹の相定相続人の長男と長女が2分の1ずつ平等の割合で取得することになります。

2. 生命保険金の受取人が相続人と指定されている場合

生命保険金の受取人として、単に「相続人」と指定した場合には各相続人が相続分の割合に応じた生命保険金を受け取ることになります。

これは、平成6年7月18日の最高裁の次の判決によるものです。

「保険契約において、保険契約者が死亡保険金の受取人を被保険者の「相続人」と指定した場合には、特段の事情がない限り、右指定には、相続人が保険金を受け取るべき権利の割合を相続分の割合によるとする旨の指定も含まれているものと解するのが相当である」

本事例の場合であれば、妻が2分の1、長男が4分の1、二男が4分の1を取得することになります。

3. 保険契約の受取人以外の人が保険金を受け取った場合

受取人が取得した生命保険金を他の相続人に分与した場合、通常は、受取人から分与した人へ贈与税がかかることになります。本事例でいえば、妹の子供たちが、受け取った生命保険金を、おじの相続人に分与した場合は、おじの相続人に贈与税が課税されることになります。

ただし、次の条件にあえば、贈与税が課税されず、受取人の扱いとなります。

① 保険契約上の保険金受取人以外の者が現実に保険金を取得していること

② 保険金受取人の変更の手続きがなされていなかったことにつきやむを得ない事情があると認められる場合

③ 現実に保険金を取得した者がその保険金を取得することについて相当な理由があると認められる時

本事例の場合、上記の3条件を満たすことは難しいと思われますので、生命保険金を取り返すことができたとしても、贈与税の課税を免れるのは難しいでしょう。

事例 17

リビングニーズ特約で失敗

私の夫は、ガンで医師から余命6ヶ月の宣告を受けました。夫の希望はつらい抗癌剤治療などはせずに、残された時間を好きなように生きたいというものでした。

夫がかけていた生命保険にはリビングニーズ特約がつけてあったため、死亡保険金額2,000万円のうち全額を、リビングニーズ特約により受け取りました。夫の希望は、今まで仕事一筋だったので世界一周旅行に行きたいということで計画を検討したのですが、病状が悪化した場合などの懸念があり、また、計画している段階でも日に日に夫の体調は悪化していきました。

そして、残念ながら医師の宣告どおり約6ヶ月後に私と3人の子供を残し、またリビングニーズ特約により受け取った現金2,000万円を残し、亡くなりました。夫は父から相続した遺産もあったため税理士に相談したところ相続税の申告と納税が必要になると言われました。

また、その際に税理士からは「なんでこんな金

額をリビングニーズ請求してしまったのですか！もっと計画的に行えば相続税が安くなったのに…」と言われてしまいました。保険会社に相談する前に税理士さんに相談すべきだったのでしょうか？

＜リビングニーズ特約の概要＞

・リビングニーズ特約とは、医師から余命６ヶ月の宣告を受けた場合に、死亡生命保険金の一定額を、生前に受け取ることができる特約のことです。

・リビングニーズ特約の特約保険料はかかりません（無料です）。

・一般的に、リビングニーズ特約で生前に受け取ることができる保険金額は 3,000 万円が限度になります。

1. リビングニーズ特約を使わなければ、相続税の死亡保険金の非課税（500万円×相続人の数、事例の場合、2,000万円）を使うことができた。
2. 仮にリビングニーズ特約を使うとしても、使用可能な現実的な金額を考えるべきだった。
3. 結果として、リビングニーズ特約を使わなければ死亡保険金の非課税で保険金部分は課税にならなかったところ、リビングニーズ特約を使ったため、現金2,000万円が相続税の課税対象になってしまった。

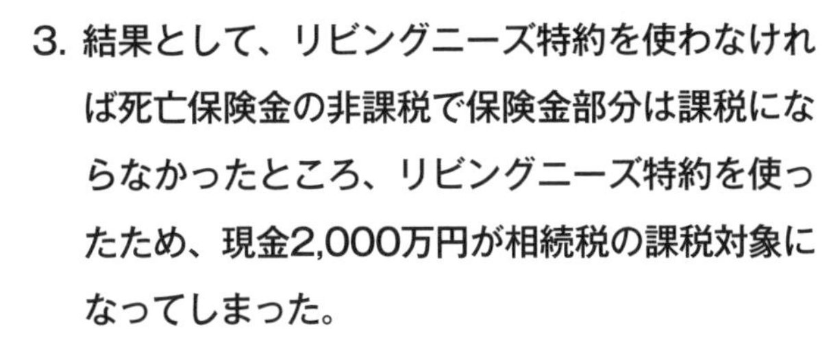

[ポイント解説]

1. リビングニーズ特約

リビングニーズ特約とは、医師から余命6ヶ月の宣告を受けた場合に、死亡生命保険金の一定額を、生前に受け取ることができる特約のことです。保険としての活用方法は浸透していると思いますが、税務上の注意点はあまり理解が進んでいないのが現状です。もちろん、余命6ヶ月の宣告を受けて、夫の残された時間に好きなことをさせてあげたいという気持ちは尊いものです。

しかし、現実的には、残念ながらお体の具合もありなかなか使うことができません。そして、ご主人が亡くなられた後には、相続税というさらなる現実が待っているわけです。

2. リビングニーズ特約と所得税

リビングニーズ特約の失敗のもう1つの原因としては、請求時の課税の取り扱いがあります。というのも、リビングニーズ特約で2,000万円を受け取った時点では、「心身に加えられた損害に起因して支払われるもの」として所得税が非課税になるのです。

つまり、リビングニーズ特約の請求時点では「所得税がかからない」という気安さから、「それならたくさん請求しておこう」という気持ちにさせられてしまうのです。

3. リビングニーズ特約と相続税

しかし、リビングニーズ特約で2,000万円を受け取った時点では課税がなくとも、相続が発生した時点では大きな違いが出てきます。

というのも、相続税では基礎控除（3,000万円+600万円×相続人数）といって誰でも使える非課税と、死亡保険金の非課税のように特定の人だけが使える非課税があります。

死亡保険金の非課税を使える要件は、契約形態が契約者：夫、被保険者：夫、死亡保険金受取人：相続人、である必要があり、相続が発生した時点で死亡保険金が支払われる場合です。つまり、昔は生命保険に加入していたが保険が切れてしまった場合や、本事例のようにリビングニーズ特約で生前に全額受け取ってしまった場合には、せっかくの死亡保険金の非課税（本事例の場合には2,000万円）が使えなくなってしまうのです。

相続税の納税でお金が必要な時にこの差は大きなものとなってしまいます。

リビングニーズ特約の利用は慎重に…！

▶税務のポイント

・リビングニーズ特約の請求時点では、所得税はかかりません。

・死亡保険金の非課税は、亡くなった時に死亡保険金が支払われる必要があります。

・リビングニーズ特約の請求前に、相続税のことも考慮に入れて金額を検討する必要があります。

事例 18

非課税を理解せずに失敗

私の父は、上場企業に勤めていたサラリーマンでした。父は、定年退職時に退職金を受け取っており、このままでは相続税を納めなければいけなくなると考え、父が自分でいろいろ調べたところ、生命保険金は非課税枠があることを知り、定年退職時に受け取った退職金とそれまで貯めていた預金で、受取人を母と長男、二男、長女、死亡保険金が１人あたり2,000万円、合計8,000万円とする終身保険に加入し、年金暮らしをしていました。

先日、父が亡くなり、終身保険に係る死亡保険金を受け取りましたが、父の相続に係る法定相続人は母と３人のきょうだいで４人おり、父から死亡保険金は2,000万円まで相続税がかからないと聞いておりましたので、相続税の申告をしていなかったのですが、税務署から問い合わせがあり、申告をしなければならないと指摘を受け、加算税、延滞税を含め、納税をしなければならなくなってしまいました。

【誤】

法定相続人	母	長男	二男	長女	合計
保険金受取額	2,000万円	2,000万円	2,000万円	2,000万円	8,000万円
非課税額	2,000万円	2,000万円	2,000万円	2,000万円	8,000万円
課税対象額	0万円	0万円	0万円	0万円	0万円

【正】

法定相続人	母	長男	二男	長女	合計
保険金受取額	2,000万円	2,000万円	2,000万円	2,000万円	8,000万円
非課税額	500万円	500万円	500万円	500万円	2,000万円
課税対象額	1,500万円	1,500万円	1,500万円	1,500万円	6,000万円

1. 死亡保険金の非課税枠「500万円×法定相続人の人数（4人）＝2,000万円」は、相続人一人ひとりが使えると勘違いしていた。
2. 勘違いしたまま、専門家に相談しなかった。

[ポイント解説]

1. 生命保険金の取り扱い

① 相続税の課税対象額

被相続人を被保険者とする生命保険契約に加入していた場合で、被相続人の死亡を原因として受取人に支払われる死亡保険金については、相続税の課税対象となります。この場合に、相続税の課税対象とされる金額は、死亡保険金のうち被相続人が負担していた保険料に対応する部分のみであり、具体的には、次の算式により計算した金額となります。

$$\text{死亡保険金額} \times \frac{\text{被相続人負担分保険料の金額}}{\text{払込保険料の全額}} = \text{課税対象保険金額}$$

② **非課税金額**

保険金受取人が相続人の場合には、相続により取得したものとみなされ、相続人以外の場合には、遺贈により取得したものとみなされます。

相続税では、相続人が死亡保険金を取得した場合は、原則として死亡保険金額の合計額のうち法定相続人１人あたり500万円までの金額が非課税とされます。具体的な非課税の金額は次のとおりです。

(a) 相続人の死亡保険金額の合計額が非課税限度額（500万円×法定相続人の数）以下の場合

各相続人の死亡保険金受取額 ＝ 非課税金額

(b) 相続人の死亡保険金額の合計額が非課税限度額を超える場合

$$\text{非課税限度額} \times \frac{\text{その相続人の死亡保険金の額}}{\text{各相続人の死亡保険金の合計額}} = \text{非課税金額}$$

2. 具体的な非課税金額の計算

① **各共同相続人が取得した相続税の課税対象とされる生命保険金等の額の合計額**

2,000万円（母）+2,000万円（長男）+2,000万円（二男）+2,000万円（長女）=8,000万円

② **非課税金額の総額**

500万円×４人（法定相続人の数：母、長男、二男、長女）＝2,000万円

③ ①>②

④ **各共同相続人にかかる生命保険金等の非課税金額**

（母） 2,000万円×2,000万円／8,000万円=500万円

（長男）2,000万円×2,000万円／8,000万円=500万円

（二男）2,000万円×2,000万円／8,000万円=500万円

（長女）2,000万円×2,000万円／8,000万円=500万円

3. 非課税枠の適用は自由に決められない

上記のとおり、500万円×法定相続人の数という非課税枠は、相続人一人ひとりについてではなく、相続人全員の合計であることを理解しなければなりません。

また、死亡保険金を受け取った相続人が複数いる場合には受け取った額に応じて自動的に非課税枠の配分が決められてしまうため、非課税枠の適用を受ける額を相続人間で自由に決められるわけではないことに注意する必要があります。

MEMO

遺産分割

事例19　相続放棄をせずに失敗

事例20　子が相続放棄をして失敗

事例21　未成年者がいるのに特別代理人をたてずに失敗

事例22　法定相続分を勘違いして失敗

事例23　債務を1人に集中して失敗

事例24　土地を時価鑑定して失敗

事例25　一次相続で遺産分割協議書を作成せずに失敗

事例26　子供がいないからといって、叔父の養子になって失敗

事例27　配偶者居住権を設定せずに遺産分割で失敗

事例28　空家の3,000万円控除が使えなくて失敗

事例 19

相続放棄をせずに失敗

私と２人きょうだいの兄が５月の末に亡くなりました。兄は独身で、また、私たちの父は３年前にすでに他界しているのですが、80歳の母が元気に実家で１人で暮らしていますので、兄の相続人は母１人となるものと思っていました。しかし、８月のお盆休みに親戚が集まった際に、従兄から母が兄の相続後３ヶ月以内に相続放棄をすれば、私の相続税は通常の２割増しになるものの、私が相続人となって兄の財産を引き継ぐことができると聞かされました。一瞬母が亡くなった時のことを考えるとそちらのほうがよいのではないかとも思いましたが、相続放棄の手続き期限まであと10日あまりと期限が迫っていて焦っていたこともあり、また、相続税が２割増しになるということでしたので、相続放棄は行わずに兄の財産は全て母が相続することにしました。

ところが、後で試算してみて、２割増しの相続税よりも母の相続の際に私が支払う相続税のほうが圧倒的に多いことに気付きました。実は父も母も代々地主の家系で、父の相続の際は、不動産が大半でしたが、母固有の財産も多いことから、二次相続を考えて、財産の大半はきょうだいで相続することにしました。そうはいっても兄は独身のため、今後結婚しない限り、母の死後は、兄の財産はいずれ私ないしは、私が先に亡くなっている場合は私の子に引き継がれることを理解していたので、兄もそのつもりで私が３分の２、兄が３分の１の財産を相続しました。母はほとんど相続しなかったことから配偶者の税額軽減は使わずに、相続税は相当高額なものになりましたが、その時かき集めた現金と相続税を分割払いする延納制度を利用して、今でも高額な相続税を支払い続けている状況です。しかし、今回の兄の相続で母が兄の財産を全て相続することになり、不動産を中心とした多額の母の財産に兄の財産が加わってしまいました。母の年齢を考えてもできる対策は限られていますし、今は母は元気ですが、そう遠くはない将来に、私に降りかかってくる母の相続税を納められる自信がなく、とても絶望感を感じています。

1. 子供のいない子が先に死亡しても、親が相続放棄していれば兄弟姉妹がもらうことができたことを知らなかった。
2. また、相続放棄は延長をしていれば時間が稼げたのを知らずに焦ってしまった。

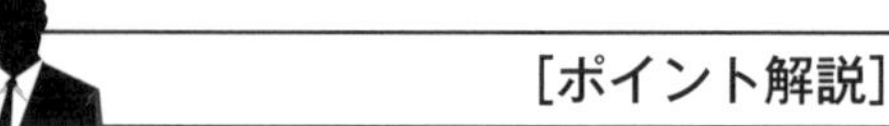

[ポイント解説]

1. 子が先に死亡して親が相続人となる場合の留意点

相続人の順位は民法で規定されていますが、被相続人に子供がいない場合、本事例のように次の順位の相続人は親が存命であれば親となります。この時被相続人が相続税のかかるくらいの財産を保有していますと、まず親に相続税がかかり、次にその親に相続が起きると、その子（被相続人からみて兄弟姉妹）が財産を相続することになりますので、通常、短い期間内に同じ財産に対して、2度も相続税がかかってきてしまいます。さらに、親が資産家であり、もともと多額の財産を保有していますと、10%から55%の超過累進税率によりさらに相続税は重い負担となります。

また、親が高齢であればあるほど、贈与などの相続対策の方法が限られてきてしまいます。親にそれほど財産がなく、相続税がほとんどかからないようであれば別ですが、そうではない場合、できれば親が相続しないほうが相続税の上では有利となるケースが多いのではないかと考えられます。

一点、注意点としては、親が相続放棄をして、兄弟姉妹が相続人になる場合は、通常の相続税の２割増しの負担となってしまうことから、相続放棄を検討する前に十分な試算が必要となってきます。やはりご自身で考えるよりは税理士等の専門家に相談することをお勧めします。

2. 相続放棄と相続人

相続が発生したら、相続人は相続するか、しないかを、決めなければなりません。なお、相続放棄する場合は、原則として相続開始があったことを知った日から３ヶ月以内に家庭裁判所へ申述する必要があります。

相続放棄とは、相続人が相続する権利を放棄する方法です。相続放棄をしますと、その相続人は初めから相続人でなかったものとみなされます。そして、同順位の相続人全員が放棄をすると次の順位の相続人が相続人になります。

本事例のケースですと、兄は独身のため、相続人の判定上、妻及び第１順位の子がおらず、第２順位の両親になりますが、父はすでに死亡しているため、母１人が相続人となります。そして、この母が子（兄）の財産を相続しないようにするためには、相続開始を知った日から３ヶ月以内に家庭裁判所に申述します。そうしますと母は初めから相続人でなかったものとみなされ、次の順位の兄弟姉妹である弟が相続人となります。

3. 相続放棄の伸長

相続人は、相続の開始があったことを知った日から３ヶ月の熟慮期間内に、相続放棄をしなければなりません。ただし、この熟慮期間内に相続人が相続財産の状況を調査しても、なお、決定できない場合には、家庭裁判所は、申立てにより、この３ヶ月の熟慮期間を伸長することができます。

【母が相続放棄しない場合】

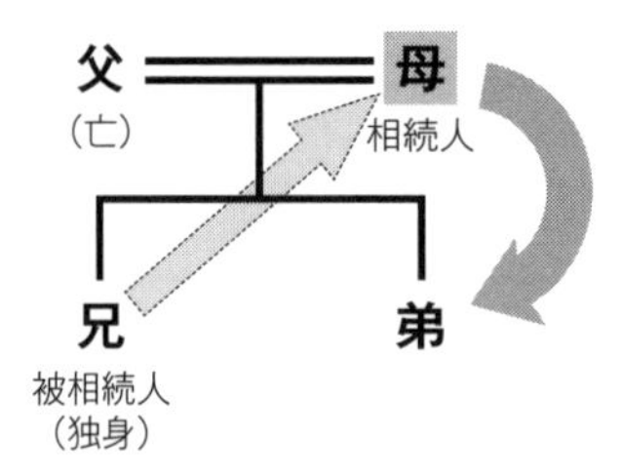

<**ポイント**>

母が相続人。将来の母の相続の際、同じ財産に対して、弟に再び相続税がかかる。

【母が相続放棄する場合】

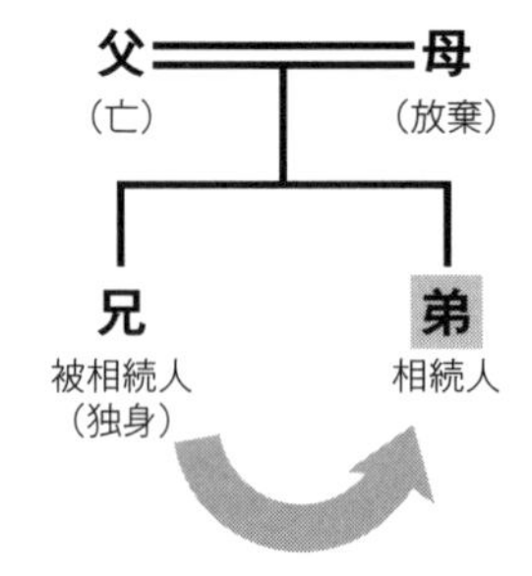

<**ポイント**>

母が相続放棄をして、弟が相続人。将来の母の相続の際、同じ財産に対して、弟に相続税がかかることを回避できる（ただし、2割加算の適用あり）。

事例 20

子が相続放棄をして失敗

父が亡くなりました。相続人は母と私と妹の３人です。相続により預金が凍結されてしまいますと、父の預金に頼っていた母は生活に困ってしまいます。そこですぐに遺産分割の話し合いを始めました。母は最低限生活できれば良いといって私たちにも相続するように言ってくれていました。また、二次相続の相続税を考えると母が取得しないほうが良いということも聞きましたが、結局、妹と私は、今後の母の年齢を考えるとまだまだお金を使うだろうし、病気や施設に入る時などいざという時にお金が必要です。また何よりも生前父と母とで築き上げた財産ですから、母には残りの人生をお金に余裕を持って楽しんでもらいたいと考え、父の財産は全て母に相続してもらうことで妹とも同意しました。そこで、私たち子供２人が相続しないためには相続放棄するのが手っ取り早いと考えて、早速インターネットで調べてみると家庭裁判所への放棄の申述が必要で、そこには相続開始から３ヶ月以内に手続きが必要である旨の記載があったので、慌てて妹と一緒に相続放棄を家庭裁判所へ申述しました。

ところが、後日、銀行で父名義から母名義へ預金の変更手続きに行ったところ、戸籍謄本等を見た行員さんから大変な事実を知らされました。「お二方は相続放棄されていて、お父様のご両親も亡くなられているので、お父様の兄弟姉妹の方々が相続人になります。したがって、お母様とご兄弟姉妹全員の署名・捺印がある遺産分割協議書をご用意ください」とのことでした。父は４人きょうだいの長男で、弟が２人、妹が１人います。そのうちの弟１人はすでに亡くなっていたので、その子である父から見て甥姪の３人が相続人（代襲相続人）の立場を引き継ぐということで、母以外に、５人が父の相続人になってしまったのです。しかも代襲相続人のうち１人は行方知れずの状況で連絡が取れません。父の財産を母に全て相続してもらうという目的を果たすためには、さらに相続放棄をしてもらうか、兄弟姉妹等と遺産分割協議をして協議書に署名・捺印してもらわなければなりません。連絡が取れない相続人がいますし、交渉にすら踏み切れません。それに話をして権利を主張されることも怖いですし、遺産の名義変更が進まずに困っています。良かれと思って行った行為がこのようなことになってしまい非常につらく悲しいです。

<子が相続放棄した場合の相続人>

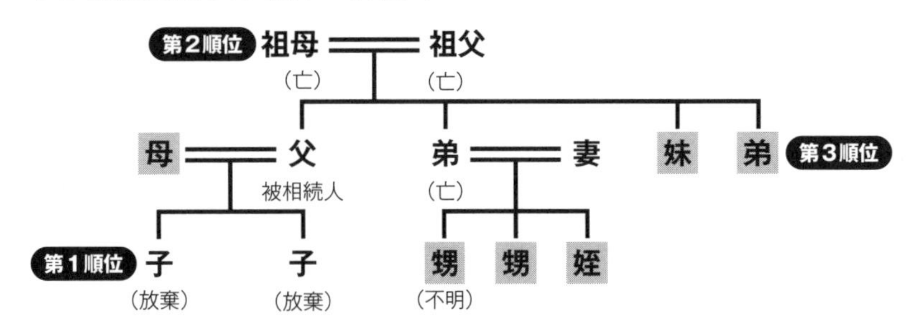

1. 先の順位の相続人全員が放棄する場合、次の順位以降の相続人（子全員が放棄した場合で直系尊属がいない場合、兄弟姉妹）が相続人になることを把握していなかった。
2. 母に集中させるのであれば、家庭裁判所で「相続放棄」ではなく、遺産分割協議内で子２人が「辞退」しておけばよかった。

[ポイント解説]

1.　相続人の範囲と相続放棄

誰が相続人になるのかは、民法でその範囲が決められています。

相続人の相続順位は、まず配偶者がいれば、その配偶者は必ず相続人になります。そして配偶者とともに、第１順位は子、第２順位は（父母等）直系尊属、第３順位は兄弟姉妹という順位で相続人になります。配偶者がいなければ、第１順位は子のみ、第２順位は直系尊属のみ、第３順位は兄弟姉妹のみの順位で相続人になります。

ここで、先の順位の相続人全員が相続放棄すると次の順位者が相続人となるのです。

本事例のケースでは、第１順位の子２人（全員）が相続放棄しましたが、第２順位である（父母等）直系尊属はすでに亡くなっているため、第３順位の兄弟姉妹（兄弟姉妹が亡くなっている場合は、その子）が相続人となるのです。そうなると、兄弟姉妹及び甥姪に事情を話して相続放棄してもらうか（この時自分が相続人になったことを知った日から３ヶ月以内に手続きが必要です。兄弟姉妹に相続放棄してもらう場合、亡くなってから３ヶ月以内ではなく、少なくとも子の相続放棄以後が知った日に該当するので、そこから３ヶ月以内ということになります）、兄弟姉妹等に母が全て相続する内容での遺産分割協議書に署名・捺印をもらわなければならず、時間と手間がかかりますし、なによりも関係性が良くない場合は相続する権利を主張される懸念もあります。

<法定相続人の範囲と相続放棄>

相続人の相続順位	配偶者は常に相続人となる	
	第１順位	**子**
	第２順位	**直系尊属**
	第３順位	**兄弟姉妹**

→ 先順位の相続人全員が相続放棄すると、次の順位者が相続人となります。

2. 遺産分割の辞退とは

通常、家庭裁判所への相続放棄の申述は、被相続人に多額の債務がある場合やそれを把握しきれない場合にやむを得ず行います。したがってそのようなケースを除いては、その順位の相続人全員が相続放棄をしてしまいますと、前述したように初めから相続人でなかったものとみなされるため、次の順位の相続人が相続人となってしまいます。

そこで相続人が財産をもらわない方法として、相続人としての地位を得ながら遺産分割協議書において、財産の分配を辞退する旨の内容で署名・捺印をすればよいのです。

事例 21

未成年者がいるのに特別代理人をたてずに失敗

私の夫が亡くなりました。相続人は私と長男（17歳）と長女（15歳）の３人です。子供たちはまだ未成年なので、親である私が全て相続し、子供たちの面倒を見ようと思っています。

夫が残した財産は約8,000万円なので全て私が相続すれば、配偶者の税額軽減で相続税はゼロになると思います。

遺産分割協議書を子供たちと作成し、自宅を私名義に登記しようとしたところ、これでは登記できないと言われてしまいました。

未成年の子供がいる場合には、家庭裁判所で特別代理人の選任をしなければならないと、この時初めて知りました。子供たち２人にそれぞれ別の人をたてなければならず、親戚にお願いできるかどうか、また、相続税の申告期限までに分割が間にあうかどうか心配です。

・一般的には、未成年者の法律行為は、親権者である親が法定代理人になります（民法第818条、第824条）。

・法定代理人である親と未成年者が利益相反になってしまう場合には、親権者は法定代理人にはなれず、特別代理人の選任が必要になります（民法第826条）。

・親権を行う者が数人の子に対して親権を行う場合において、その１人と他の子との利益が相反する行為については、親権を行う者は、その一方のために特別代理人を選任することを家庭裁判所に請求しなければなりません。

1. 夫の遺産分割協議に関しては、相続人である妻と子２人は利益相反の関係になる。
2. 利益相反の関係になる場合、妻は子の法定代理人にはなれず特別代理人の選任を家庭裁判所に請求する必要がある。
3. 本事例の場合、長男、長女、それぞれに特別代理人の選任が必要になる。
4. 特別代理人の立場としては、それぞれ、長男、長女のために代理行為を行う必要があるため、基本的には「母が全て相続する」ような遺産分割には同意できないので、遺産分割の内容には留意が必要。

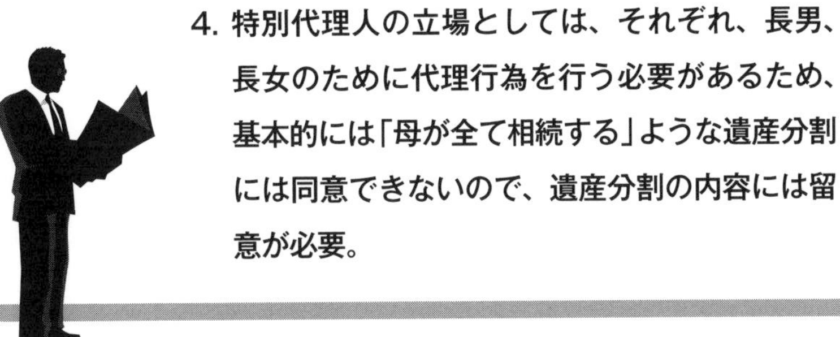

[ポイント解説]

1．特別代理人選任の申立て

一般的には、本人が20歳未満（令和4年4月1日より18歳未満）の場合、親権者が未成年者の法定代理人になります（民法第818条、第824条）。

しかし、親権を行う父または母とその子との利益が相反する行為については、親権を行う者は、その子のために特別代理人を選任することを家庭裁判所に請求しなければなりません（民法第826条）。

親権を行う者が数人の子に対して親権を行う場合において、その1人と他の子との利益が相反する行為については、親権を行う者は、その一方のために特別代理人を選任することを家庭裁判所に請求しなければなりません。

①申立人：親権者、利害関係人

②申立先：子の住所地の家庭裁判所

③申立てに必要な費用：収入印紙800円（1人につき）、
連絡用の郵便切手

④申立てに必要な書類

・申立書

・未成年者の戸籍謄本（全部事項証明書）

・親権者または未成年後見人の戸籍謄本（全部事項証明書）

・特別代理人候補者の住民票または戸籍附票

・利益相反に関する資料（本事例の場合、遺産分割協議書案）

・（利害関係人からの申立ての場合）利害関係を証する資料

（戸籍謄本〈全部事項証明書〉等）

上記のとおり、申立てには遺産分割協議書案の添付も必要になります。

2. 配偶者が全て相続できるか

特別代理人の制度は、あくまで「子供」の利益を守るための制度ですから、配偶者の税額軽減を取るために、配偶者が全て相続するような内容は原則として認められませんので留意が必要です。

類似の事案としては、相続人の中に認知症の方がおり、精神上の障害により事理を弁識する能力を欠く常況にある方の場合、遺産分割協議を行うことができませんので、家庭裁判所に後見開始の申立てが必要になります。

また、すでに後見人が選任されている状態で、例えば、母親が認知症で長男が後見人に選任されている状況で父親の相続が発生した場合、被後見人である母親と後見人である長男はともに相続人のため、利益相反の状態になります。父の遺産分割協議においては長男は後見人として代理権を行使することはできず、母親のために特別代理人の選任申立てが必要になります。なお、後見開始の申立てには後見人の候補者を記載できますが、選任するのはあくまで家庭裁判所なので、候補者以外の後見人（弁護士や司法書士など）が選任される場合もありますので注意してください。

事例22 法定相続分を勘違いして失敗

数年前、私の夫が亡くなりました。相続人は妻である私と子である長男、二男の３人です。夫が残した財産は、自宅2,000万円と金融資産2,000万円の合計4,000万円でした。

四十九日法要も終わり、相続財産分けについて３人で話し合いました。

法定相続分どおりに相続しなくてはいけないとどこかで聞いたことがあり、かつ、相談するにも誰に相談して良いのかわからず、法定相続分どおり私が２分の１、長男、二男がそれぞれ４分の１（２分の１×２分の１）でどのように相続するか話し合いました。私は夫との２人暮らしでしたので、自宅を相続しないと住む家がなくなってしまうため、また、法定相続分である２分の１であることから自宅のみを相続したいと主張しました。長男、二男はそれぞれ家庭も持ち家もあり自宅は必要ないため、金融資産を1,000万円ずつ相続することで遺産分割協議は終わりました。

その後の生活は、年金収入と自己資金を取り崩

してなんとか生活してきましたが、病気などで医療費もかさみ、資金繰りが厳しくなってしまいました。長男、二男に援助を受けようとも思いましたが、それぞれの生活も厳しそうだったため、言えずに自宅を売却することを決断したのです。そして、アパートを借りて細々と生活しています。

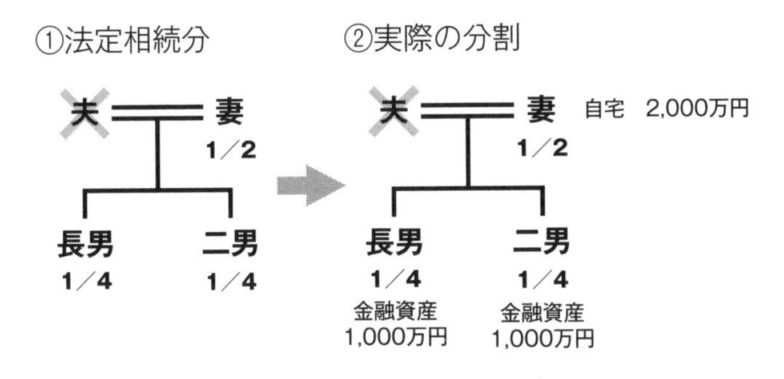

1. 遺産分割について、相続人間で遺産分割の合意ができれば、どのように分割しても良いことを知らなかった。
2. 税理士等の専門家に遺産分割の相談をしなかった。
3. 夫が残された相続人のことを想い、遺言書を作成していなかった。

[ポイント解説]

1. 法定相続分とは

法定相続分とは、民法で決められた取り分のことです。民法に定める法定相続分は、相続人の間で遺産分割の合意ができなかった時の遺産の取り分であり、必ずこの相続分で遺産の分割をしなければならないわけではありません。

法定相続分

①配偶者と子供が相続人である場合

　配偶者１／２　子供（２人以上の時は全員で）１／２

②配偶者と直系尊属が相続人である場合

　配偶者２／３　直系尊属（２人以上の時は全員で）１／３

③配偶者と兄弟姉妹が相続人である場合

　配偶者３／４　兄弟姉妹（２人以上の時は全員で）１／４

なお、子供、直系尊属、兄弟姉妹がそれぞれ２人以上いる時は、原則として均等に分けます。

2. 法定相続分どおりに分けなくてもよい

本事例のケースでは、法定相続分どおり遺産分割をしなくてはならないと思っていたため、自宅を売らざるを得ないことになってしまいましたが、長男、二男の合意ができれば妻が自宅と金融資産の全てを相続することもできたのです。

また、夫が残された相続人のことを想い、遺言書を残しておくことも良いと思います。

遺言書を作成する際には、遺留分についても十分に注意しながら作成してください。

遺留分を侵害した遺言書を残すことにより、逆に揉めごとになってしまうケースもあります。

遺留分の割合

民法では、相続人に相続分という基本的な財産の分割割合を決めています。

配偶者以外の相続人（子供や父母・兄弟姉妹）が２人以上いる場合には､配偶者以外の人数で相続分を割ることになります。基本的には、相続分の割合の２分の１が遺留分の割合になります。

相続人	配偶者のみ	配偶者と子供		配偶者と父母		配偶者と兄弟姉妹		父母のみ
		配偶者	子供	配偶者	親	配偶者	兄弟姉妹	
相続分	1	1／2	1／2	2／3	1／3	3／4	1／4	1
遺留分	1／2	1／4	1／4	1／3	1／6	1／2	―	1／3

相続税の申告が必要ない方は、税理士等の専門家に相談しないことが多々ありますが、専門家に相談することによってより良い分割方法が見つかるかもしれません。

事例 23

債務を1人に集中して失敗

父が亡くなり、私と弟の２人で相続することになりました。父は生前に遺言を残しておらず、私と弟の２人で遺産分割することになりました。

私は、父と同居していた土地、建物を相続する希望で、その土地、建物を購入するためにした借入金8,000万円の債務も相続する予定です。弟は預金6,000万円を相続する予定です。父の遺産は財産と債務を差し引きすると純額で4,000万円のため、相続税の基礎控除（3,000万円+600万円×２人=4,200万円）以下で税金はかからないと考えて遺産分割しました。

ところが、税理士さんからは、この遺産分割では私の債務超過部分△2,000万円は弟の財産からは控除することができず、弟は6,000万円が課税価格になってしまうということでした。

（財産・債務の状況）

	兄	弟	合計
土地	4,000万円		4,000万円
建物	2,000万円		2,000万円
預金		6,000万円	6,000万円
借入金	△8,000万円		△8,000万円
差引	△2,000万円	6,000万円	4,000万円

1. 相続または遺贈により財産を取得した者が課税価格に算入すべき価額は、当該財産の価額から、被相続人の債務で相続開始の際現に存するもの及び被相続人に係る葬式費用のうちその者の負担に属する部分の金額を、控除した金額による。
2. あくまで「その者の負担に属する部分の金額」を控除するので、債務を負担していない弟から、兄から引ききれない△2,000万円を控除することはできない。
3. 兄の課税価格は債務超過のためゼロになり、弟の課税価格は6,000万円になる。基礎控除の4,200万円を超過するので、本事例の遺産分割方法の場合には相続税が課税されることになる。

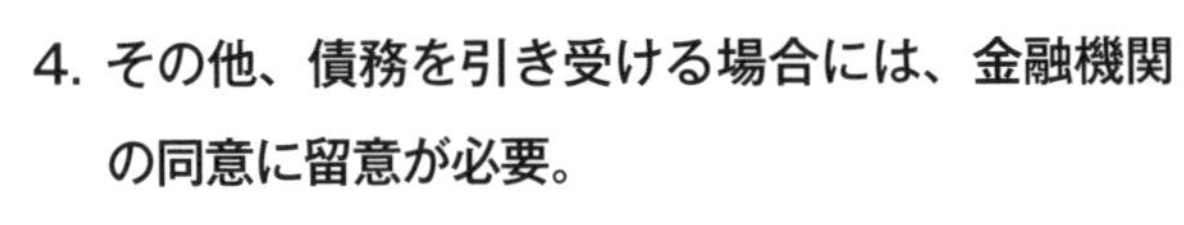

4. その他、債務を引き受ける場合には、金融機関の同意に留意が必要。

[ポイント解説]

1．債務控除は各人ごとに判断

相続税の総額を計算する場合においては、同一の被相続人から相続または遺贈により財産を取得した全ての者に係る相続税の課税価格の合計額から、3,000万円と600万円に当該被相続人の法定相続人の数を乗じて算出した金額との合計額（基礎控除額）を控除します。

相続または遺贈により財産を取得した者が課税価格に算入すべき価額は、当該財産の価額から、被相続人の債務で相続開始の際現に存するもの及び被相続人に係る葬式費用のうちその者の負担に属する部分の金額を、控除した金額によります。

あくまで「その者の負担に属する部分の金額」を控除するので、債務を負担していない弟から、兄から引ききれない△2,000万円を控除することはできません。

兄の課税価格は債務超過ですからゼロになり、弟の課税価格は6,000万円になります。基礎控除の4,200万円を超過しますので、本事例の遺産分割方法の場合には相続税が課税されることになります。

2．金融機関の同意も必要

なお、借入金は、相続開始と同時に各相続人の相続分に応じ、それぞれ等しい割合で義務を負うことになります。本事例の場合には、借入金総額8,000万円のうち、兄4,000万円、弟4,000万円になります。

遺産分割において兄が債務を相続する（引き受ける）ことを定めた場合、兄、弟の間では有効ですが、債権者である金融機関に対しては、金融機関の同意を得た上で、債務者名義を兄に変更する必要があります。

本事例のようなケースでは、金融機関の同意が得られない場合もありますので、税務の問題と合わせて注意が必要です。

3. 保証債務にも要注意

また、保証債務については、原則として債務控除することはできません。ただし、主たる債務者が弁済不能の状態にあるため、保証債務者がその債務を履行しなければならない場合で、かつ、主たる債務者に求償して返還を受ける見込みがない場合には、主たる債務者が弁済不能の部分の金額は、当該保証債務者の債務として控除することができます。

連帯債務については、連帯債務者のうちで債務控除を受けようとする者の負担すべき金額が明らかとなっている場合には、当該負担金額を控除し、連帯債務者のうちに弁済不能の状態にある者があり、かつ、求償して弁済を受ける見込みがなく、当該弁済不能者の負担部分をも負担しなければならないと認められる場合には、その負担しなければならないと認められる部分の金額も当該債務控除を受けようとする者の負担部分として控除することができます。

事例 24

土地を時価鑑定して失敗

先日父が亡くなりました。

父は遺言書を書いていませんでした。相続税の申告納税期限が亡くなってから10ヶ月以内ということは知っていたので、分割協議は素早くまとめなければなりません。

しかし、父の遺産は不動産が大部分を占めるため、財産が分けづらく、また、皆主張が激しいため、分割協議がなかなかまとまりません。

そんな中、私の知り合いの不動産鑑定士からの提案で、父の不動産の中の一部について、「路線価評価だと時価よりかなり高いので、時価鑑定を行ったほうがいいのではないか」という提案を受けました。

相続税が下がるなら、ということで鑑定評価を依頼し、結果、土地の評価を大幅に下げることができました。これには相続人皆が納得しております。

その後、分割協議を再開し、結果として法定相続分どおりに財産を分けることとし、時価鑑定し

た土地は私の兄が取得することとなりました。

しかし、その不動産については時価鑑定額を基に分割協議（他の財産は路線価評価を基に）を行ったため、よく考えてみると兄の取得する他の財産の取り分を増やす結果となってしまいました。

1. 時価鑑定により、仲の悪い兄が相続する土地の評価が下がった。
2. その結果、自分の相続分が相対的に少なくなってしまった。

［ポイント解説］

1. 財産の評価

相続税法の第22条において、特別の定めがあるものを除き、当該財産の取得の時における時価を、相続税を計算する上での財産の価額とする旨が規定されており、実務上は、その「時価」の解釈として国税庁が定めた「財産評価基本通達」によって計算を行います。

2. 土地の評価

土地の場合、この通達に基づき、路線価評価や、固定資産税評価額を基にした倍率評価などにより評価を行います。

しかし、この財産評価基本通達によって計算する金額が、全ての財産の価額（客観的交換価値を示す価額）を必ずしも一義的に確定できるものではありません。

そのため、相続財産の客観的な交換価値を個別に評価する方法を採ることで、課税の公平を保つことができます。土地の場合、不動産鑑定士による時価評価がこれにあたります。

この時価評価が、財産評価基本通達（路線価等）の定めにより評価した価額を著しく下回る場合、実務上鑑定評価額を基に相続税申告を行う場合があります。

3. 遺産分割協議

原則として「時価」を基準に遺産分割協議は行います。ただし土地の時価を計算することは困難であるため、路線価評価（相続税評価）を基準に遺産分割協議を行う場合も実務上珍しくありません。

本事例のように、特定の不動産のみ、その時価鑑定額を基に、法定相続分で分割協議を行った場合には、全体の相続税は減るかもしれませんが、その不動産を相続した人の他の財産の取り分が増える結果となりますので、遺産分割時の財産の「時価」については、検討が必要です。

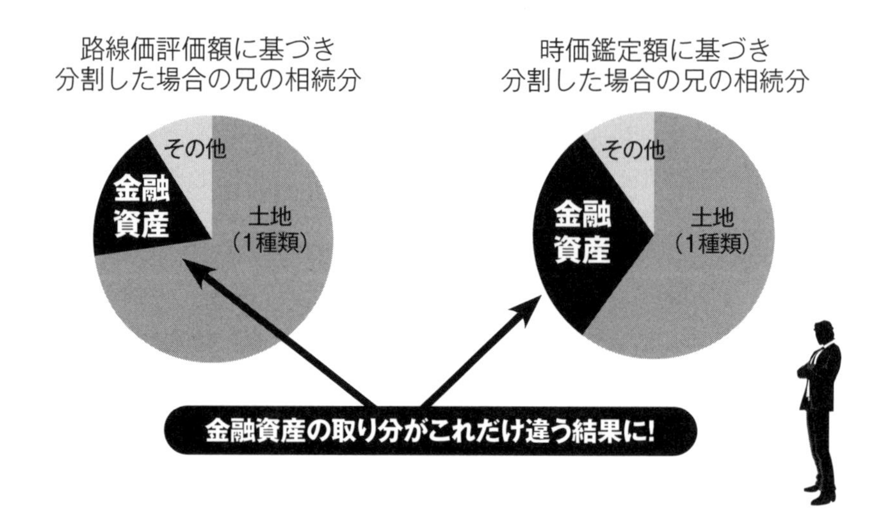

事例 25

一次相続で遺産分割協議書を作成せずに失敗

私の父は16年前に亡くなりましたが、当時父が残してくれた財産は、長男である私たち夫婦と両親が同居していた自宅不動産2,500万円、そして現金2,000万円でした。

父の納骨の席で２人の弟に、相続をどうするか切り出したところ、弟たちは、「お金は母さんが全部もらって、安心して老後を暮らして欲しい。兄さんはずっと父さんの面倒を見てくれたから、自宅はそのまま兄さんがもらえばいいよ」と言ってくれました。その後は忙しく過ごしていたため、相続財産の額が相続税の基礎控除以下であることだけを確認し、遺産分割協議書の作成はせず、自宅の名義変更手続きも行わないまま、現在までの年月が経過してしまいました。

先日、母が亡くなりました。母は年金収入のみでやりくりしていたため、父の遺産である2,000万円はほとんど母の通帳に残っていました。

母の通夜の席で、弟たちと久しぶりに顔を合わせたのですが、弟たちは「実は子供たちの教育費で、お金がかかって大変なんだ。母さんが残した父さんの遺産を早めに分割してもらいたい」と訴えてきました。私は、意外な発言に驚きながらも「母さんはずっと認知症を患っていて本当に介護が大変だった。介護などで面倒を見ていた場合、法定相続分とは別に寄与分という取り分が認められるようだけど、お前たちもお金がかかって大変だろうから、寄与分については考慮せず、今回は平等に３等分で分けようか」と提案しました。すると弟たちは「自宅は兄さんにあげてもいいよ、その代わり母さんの残したお金は僕たちが２人で半分ずつもらうよ。僕たちは、家も含めたら本来1,500万円ずつ財産をもらう権利があるんだからな」と言ってきたのです。私は「父さんの相続はもう終わったんだから、母さんの相続とは全く別の問題だ。今回の相続にこの家のことは関係ないだろう」と主張しました。しかし弟たちは「当時の遺産分割協議書だって作ってないだろう。兄さんが３等分だと言うなら、家の名義変更書類には一切ハンコを押さないからな」と言ってきたのです。私は、自宅を奪われてしまっては大変だと考えて、母親の残したお金については全て弟たちに譲ることで決着をつけました。しかし、心の中にはしこりが残ってしまい、その後２人と連絡を取ることはなくなってしまいました。

1. 一次相続の時に口頭だけで分割協議を済ませてしまい、直ちに分割協議書を作成し、自宅の名義変更を行わなかった。
2. 家族であっても時間の経過とともに心変わりする可能性があることを全く考えていなかった。
3. 弟たちが一次相続の権利と二次相続の権利は別であるということを認識していなかった。

[ポイント解説]

1. 二次相続でトラブル発生

父親が死亡する一次相続の話し合いは母親がいるため揉めごとなく終わることが多いのですが、母親が死亡して子供たちで行う二次相続の話し合いは、揉めるケースが非常に多いのです。一次相続と二次相続は相続人にとっては全く別の問題なのですが、一次相続であまり財産をもらえなかった相続人が、二次相続で不満を爆発させてしまうことが多いためです。

特に、平成27年から相続税の基礎控除の額が大きく下がり、相続税の申告をする対象が増えたため、揉めごとが起こりやすくなっているようです。一次相続の時は基礎控除以下だったため、きちんと遺産分割協議書を作成せずにいた家族が、二次相続では申告が必要になり、問題が表面化するためです。

2. 時間の経過とともに心変わりすると理解しておこう

一次相続の時は問題なく話し合いがまとまったからといって、家族を信じ、不動産の名義変更をせずにいた場合、時間の経過とともに相続人の心が変わり、話し合いの内容がひっくり返されてしまう可能性があります。特に結婚により新しい家族を持つと、その配偶者の意見により考え方が変わることは多々あります。一次相続と二次相続は別の問題なのですが、一次相続手続きが終わっていないと、今回のように二次相続で財産を有利に取得するための切り札とされてしまうこともあります。さらに、感情がもつれてしまうと、もはやお金の問題ではなくなってしまい、永遠に不動産の名義変更書類にハンコを押してもらえない可能性もあります。

さらに、仲が良かったとしても相続人の１人が認知症になってしまった場合には、成年後見人を立てるなどしないと、遺産分割協議を行うことができず、不動産の名義変更ができずじまいになるケースもあります。分割の話し合いが無事まとまったら、すぐに遺産分割協議書を交わしましょう。

3. 長男が一歩引くことも大切

本事例では長男が母親の介護に苦労してきたため、寄与分をもらいたい気持ちはよくわかるのですが、一次相続で長男が多くもらった場合には、二次相続では他の相続人に多く分けることも、その後の関係を良好にするためには重要なポイントです。とかく３人きょうだいは揉めやすいため、そのことを認識し、お互いに譲る気持ちが大切です。

事例 26

子供がいないからといって、叔父の養子になって失敗

私には独身で子供のいない叔父がいました。家が近く私が小さいころから実父のように可愛がってくれたこともあり、年月を経ても交流が続いていました。数年前のある日、叔父から相談があると呼び出されました。何事かと思い話を聞きに行くと、自身の財産（1億円程度）の承継を考慮し、私を養子にしたいという内容でした。叔父は末っ子で両親はもとより６人いたきょうだいは皆亡くなっているため、このまま何もしないと財産は私を含め15人いる甥姪に相続されることになるそうですが、私以外の甥姪とは疎遠であるため、私に全ての財産を承継してほしいという思いからとのことでした。数日間考えたものの叔父の気持ちを無下にできないと思い、叔父の養子となりました。

最近になり叔父が亡くなり財産を相続しました。叔父は生前に自分の財産規模では相続税がか

からないと聞いたといっていましたが、不安もあったので友人の税理士に相談したところ、1200万円程度の相続税がかかるといわれて驚きました。

1. 「私」が「叔父」の養子になったため、相続人の数が減ったことで基礎控除額が減り、養子になる前までは発生しないと見込んでいた相続税が発生することになってしまった。
2. 兄弟姉妹相続の場合は遺留分がないため、全ての財産を「私」に残すよう遺言を残せば、「私」に財産を残すことができたが、遺言による財産承継との有利不利を比較検討しなかった。

［ポイント解説］

1.　相続人と基礎控除

相続税は、相続等により取得した財産等から債務・葬式費用を控除した課税価格から、下記の計算式で計算される基礎控除額を控除した金額に対して税率を乗じて計算されるため、課税価格が基礎控除額を下回れば相続税の納税はおろか申告も必要がないことになります。

基礎控除額＝3,000万円＋600万円×法定相続人の数

計算式中の「法定相続人の数」は相続税法に基づき制限されるケースはあるものの、原則として民法の定めに従って法定相続人が決まり、人数が決定することとなります。

2．養子縁組の法定相続人の数及び相続税への影響

事例の場合、「叔父」が「私」を養子にする前の段階では、民法に基づき下記の順序で法定相続人を決定することになります。

配偶者（必ず法定相続人となる）：該当なし
第一順位（子・孫等の直系卑属）：該当なし 次順位の判定へ
第二順位（父・母等の直系尊属）：死亡しているため該当なし 次順位の判定へ
第三順位（兄弟姉妹）：死亡しているものの甥姪15名が代襲相続人となる

したがって基礎控除額は下記計算に基づき1.2億円となるため財産が約１億円である本事例では、相続税の申告及び納税はいずれも不要ということになります。

3,000万円＋600万円×15人（法定相続人の数）＝1.2億円

ところが、「叔父」が「私」を養子にした後の段階では、判定の基礎が変わります。養子であっても、子であることには変わりませんので、以下の順序で法定相続人を決定することになり、法定相続人は１名となります。

配偶者（必ず法定相続人となる）：該当なし
第一順位（子・孫等の直系卑属）：該当あり（「私」）　次順位以下の判定

は行わない

したがって基礎控除額は下記計算に基づき3,600万円となるため、財産が約１億円である本事例では、相続税の申告及び納税が必要ということになります。

3,000万円＋600万円×１人（法定相続人の数）＝3,600万円

３．遺言の活用

本事例では遺言の活用により、相続税の申告及び納税を回避することができたと考えられます。失敗のポイントにも記載しましたが、相続人が兄弟姉妹（またはその代襲相続人である甥姪）である場合には、遺留分がないため、全ての財産を「私」に残すよう遺言を残せば、「私」に全ての財産を残すことができました。また、基礎控除の計算に使用する「相続人の数」は「財産を承継した相続人の数」ではないため、「私」が遺言により全ての財産を承継したとしても、基礎控除の額は1.2億円のまま変わりません。したがって本事例の場合、相続税の申告及び納税の義務も生じません。

また養子により財産を承継する場合には、養子縁組後に養子との関係性が悪化してしまった場合、養子縁組を解消することが難しいケースがありますが、遺言であれば意思能力がある限り何度でも書き直すことで財産承継の内容を変えることができるメリットがあります。

一方で遺言による財産承継にデメリットがないわけではありません。確実性の高い公正証書遺言の作成には費用がかかり、また金融機関において預金の解約手続きをスムーズに行うためには、遺言執行者の選任が望ましいことから、選任者の決定等の対応も生じてくるものと考えられます。また、今回の事例では相続税額が発生しないため影響がありませんでしたが、相続税が発生する場合には、養子となった「私」には相続税を２割加算す

る取り扱いがない一方、遺言により承継する場合には2割加算する取り扱いがあるため、既存の法定相続人の数や財産内容によっては、遺言による財産承継よりも養子縁組による財産承継のほうが有利になるケースも考えられます。承継方法の検討にあたっては、税理士等の専門家とよくご相談頂いた上で、慎重に実行されることをお勧めいたします。

事例 27

配偶者居住権を設定せずに遺産分割で失敗

父に相続が発生しました。相続人は母と私（子）の２人で、父と同居していたのは母だけです。相続後、遺産分割協議の段階で、父・母ともに多額の財産を所有していることが判明しました。

父の財産のうちの半分までは、母が相続しても税金がかからない制度があることは知ってましたので、それを使って、母にも財産を相続してもらおうと思ってましたが、母にも多額の財産があり、父から相続した財産も含めて母死亡時（二次相続）に莫大な相続税がかかることが新たにわかりとても焦りました。そこで、二次相続の相続税も考慮して、父の財産については母は何も相続せず、私が全て相続することとしました。

その後、たまたま読んでいた相続に関する本で、配偶者居住権のことを知りました。相続税の負担が減少し、小規模宅地等の特例も使える制度と書いてあり、とても驚いてます。

1.父・母ともに財産を多額に所有していることについて、父の生前時に、把握をしていなかった。
2.配偶者居住権の制度を知らなかった。

[ポイント解説]

1. 生前時の相続財産の把握、相続税額の試算

本事例は、配偶者居住権を設定せずに失敗した事例ですが、なによりも、一番の失敗のポイントは、父・母ともに多額の財産を所有していたことについて、父の相続後に判明したことにあります。父・母ともに多額の財産を所有していることが生前にわかっていれば、生前に対策できること、相続後に対策できることをそれぞれ確認することができ、配偶者居住権の制度も知り得たのではないかと思います。

2. 配偶者居住権

①配偶者居住権とは

配偶者居住権とは、被相続人の死亡時に配偶者が住んでいる自宅について、その後も引き続き住めるよう法的に保障した居住する権利のことをいいます。配偶者居住権が成立するためには、配偶者が住んでいる自宅が被相続人の所有であり、かつ、配偶者居住権を設定することについて、遺産分割での合意、または、遺言書に記載があることなどが必要となります。

②相続税の取り扱い

遺産分割等により配偶者居住権を設定した場合、その土地建物は、配偶者居住権、居住建物、敷地利用権、居住建物の敷地の４つに分かれ、一次相続では、それぞれが相続税の課税対象となります。しかし、配偶者が取得した配偶者居住権及び敷地利用権（配偶者居住権等）は、二次相続における相続税の課税対象とはなりません。配偶者居住権等は、配偶者死亡時に消滅し、居住建物及び居住建物の敷地の価額に復元しますが、一身専属的な権利であり相続性は無いので、財産的価値の移転は無いものと扱われます。

結果的に、居住建物及びその敷地の所有者は、配偶者居住権等の評価額相当の所有権を、相続税の負担なく取得したことになります（なお、配偶者の生存中に配偶者居住権を消滅させた場合は、消滅の対価の有無により、所得税や贈与税の課税問題が生じます）。

<配偶者居住権を設定した土地建物のイメージ>

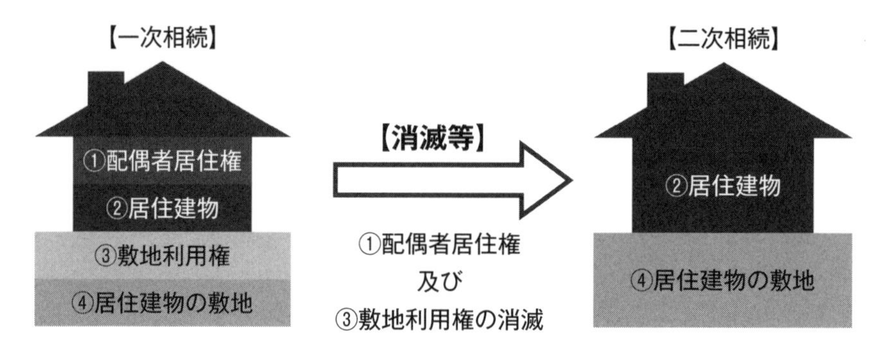

③小規模宅地等の特例

居住用の小規模宅地等の特例は、敷地利用権、居住建物の敷地のどちらにも使うことができます。本事例のように、同居していない子供が居住建物の敷地を相続した場合でも、配偶者が相続した敷地利用権については使うことができます。

3．どうすれば良かったか

遺産分割協議の段階で、配偶者居住権を設定した場合、しない場合の一次二次の相続税合計をそれぞれ計算して、どちらが有利になるかを比較すべきだったかと思います。もっとも、それ以外にも検討点はあります。

①配偶者の居住の意思（ずっと住み続けるのか。いずれは施設に移るために自宅の売却を検討していないか、賃貸に出す予定はないかなど）

②配偶者の健康状態（認知症になってしまうと配偶者居住権を消滅させることができなくなります）

③居住建物及びその敷地を相続した子供の固定資産税の負担（自身が住んでいない土地建物の固定資産税を負担することは、負担感が大きい）

これらを総合的に考慮して判断する必要があります。

事例 28

空家の3,000万円控除が使えなくて失敗

令和元年の12月に父が亡くなり、その後、令和２年の６月に母が亡くなりました。相続人は私（長男）と妹（長女）の２人です。父の財産は父母が一緒に住んでいた自宅（実家）のみで、母は預金や株式を持ってました。

実家は昭和50年築の戸建てで、現在は空家です。また、私たちは持ち家を持っており、今後住む予定はありません。

相続後に空家となってしまった実家を売却した場合は、税制上の特例があると聞いておりましたので、私と妹は全ての財産を半々で相続し、また、実家は売却をする方向で、遺産分割の協議をしてました。

その際、父から母、母から私たちの順番で実家を相続すると、父が所有する実家は一旦母の財産となって母の相続税申告が必要になり、さらに登記費用も２回発生すると聞きました。そこで、父が所有する実家は、私たち２人が直接相続するように遺産分割をして手続きを進めました。

その後、実家の売却も無事に完了し、翌年の確定申告を税理士にお願いしたところ、空家の特例を使うためには、父から母、母から私たちの順番で相続してから売却をしなければ使えないことがわかり、多額の所得税・住民税が発生してしまいました。

1. 両親に立て続けに相続が起きた場合、相続する順序によって、空家の3,000万円控除の特例が使えるかどうかを知らなかった。
2. 相続税の申告をしてもなお、空家の特例を適用したほうが有利かどうか、検証をしていなかった。

[ポイント解説]

1. 空家の3,000万円控除の特例

亡くなった方（被相続人）の住んでいた自宅で、相続後は空家である建物と土地を相続した相続人が、相続後一定期間内に売却した場合には、譲渡所得から最高3,000万円を控除することができます。これを、空家の3,000万円控除の特例といいます。この特例を使うための要件の１つに「売却した自宅には相続開始の直前に被相続人と同居していた人がいなかったこと（同居人がいない）」という要件があります。

2. なぜ使えなかったか

本事例では、父の相続時に父から直接、長男・長女が自宅を相続してますが、父の相続時には同居していた母がおり、上記の「同居人がいない」という要件を満たしておらず、特例が使えませんでした。

3. どうすればよかったか

特例を使うためには、父から母、母から長男・長女の順番で自宅を相続して、「同居人がいない」という要件をクリアする必要がありました。

なお、父から母へ相続をすると、母の相続税申告が必要になり、かつ登記費用が2回発生するとのことですが、相続税の最低税率は10%であり、自宅を譲渡した場合の所得税・住民税（所得税等）の税率は原則20.315%（短期譲渡の場合は39.63%）です。また、登記時に発生する登録免許税は固定資産税評価額×0.4%です。相続税申告や登記に係る専門家報酬もありますが、まずは、それぞれでかかる税額がいくらであったかをシミュレーションして、トータルで安くなるには、どのような遺産分割方法が良かったのかを検討する必要があったかと思います。

【例】

父財産：自宅3,000万円（固定資産税評価額2,500万円）

母財産：預金と株式2,000万円

実家の売却額等：売却金額3,500万円、取得費500万円、譲渡費用120万円、所得税等の税率20.315%

専門家報酬等は考慮しない、小規模宅地等の特例は適用できないと仮定

①父の財産を長男・長女が直接相続した場合

A　父の相続税　自宅3,000万円＜基礎控除4,800万円

∴０円（申告不要）

B　母の相続税　預金と株式2,000万円 ＜ 基礎控除4,200万円

∴０円（申告不要）

C　実家の売却に係る所得税等

（売却金額3,500万円－取得費500万円－譲渡費用120万円）×20.315%

＝585.07万円（100円未満切捨て）

D　登記費用　固定資産税評価額2,500万円×0.4%＝10万円

E　合計　A0円＋B0円＋C585.07万円＋D10万円＝595.07万円

②父の財産を父から母、母から長男・長女の順番で相続した場合

A　父の相続税　自宅3,000万円＜基礎控除4,800万円

∴0円（申告不要）

B　母の相続税　預金と株式2,000万円＋自宅3,000万円＝5,000万円

（5,000万円－4,200万円）÷2人×10%×2人＝80万円

C　実家の売却に係る所得税等

（売却金額3,500万円－取得費500万円－譲渡費用120万円）

－空家の控除2,880万円＝0円

D　登記費用　固定資産税評価額2,500万円×0.4%×2回＝20万円

E　合計　A0円＋B80万円＋C0円＋D20万円＝100万円

MEMO

税務調査

事例29　名義預金で配偶者の特例が使えず失敗

事例30　毎年コツコツ贈与していたのに名義預金と認定され失敗

事例31　妻のへそくりが認めてもらえず失敗

事例32　貸金庫をあけられてしまい失敗

事例33　相続対策をやりすぎて失敗

事例29

名義預金で配偶者の特例が使えず失敗

亡き主人はある事業（白色申告）をしており、私はその事業専従者でした。今回の主人の相続税の税務調査で私名義の預金があり、それは名義預金（預金名義は妻ではあるが実質的には主人のもの）となるので主人の相続財産となりますとの指摘を受けました。名義預金ということで相続財産となることは納得したのですが、なんと、「その預金が主人のものと知っていて隠した」ので「仮装または隠蔽した」ということになり、その結果、配偶者の税額軽減の適用は受けられませんと言われてしまいました。なんとなく納得がいきませんでした。なお事実関係は下記のとおりです。

① この名義預金の原資は主人が事業で蓄えた資金です。
② 亡くなった主人の指示により、私が各金融機関にかかる口座の開設手続きをしました。
③ 主人がこの口座にかかる通帳と印鑑の管理をしていました。
④ 主人の指示により私が各金融資産の口座の

入出金を行っていました。

⑤私は主人と一緒に働いていましたが、専従者給与は払われていませんでした。

その後、「私も一緒に働いてきたのに私の財産はゼロですか」と話をしましたが、私の言いたいことがわかってもらえなかったので、税理士に依頼して異議申立てから審査請求をしました。

その結果、一緒に働いてきたことにより、その名義預金の一部は、私（妻）のものと認識したことに理由があり、当初から主人のものと認識して過少に意図して申告したものではないと理解してもらいました。そして「外部からうかがえる特段の事情がない」ということで仮装または隠蔽に該当しないということになり、配偶者の税額軽減が適用できました（平成23年11月25日裁決）。

1. 配偶者名義だから配偶者のものであると単純にならない。その財産形成過程が重要だと知らなかった。
2. 配偶者及び他の相続人が仮装または隠蔽をしたと認定された場合には配偶者の税額軽減が使えなくなる。
3. 相続税の申告前に配偶者及び他の相続人の財産を税理士に開示して名義預金等でないかどうかを判断する必要がある。

［ポイント解説］

1. 配偶者の税額軽減と重加算税

配偶者の税額軽減とは、①1億6,000万円と②ご主人が残した財産の法定相続分（一般的には半分）のいずれか大きい金額まで配偶者が相続しても相続税はかからない制度です。

しかしこの制度には一定の条件が付いています。

それは「配偶者がその相続財産を仮装または隠蔽した（知っていて隠した）と認定された場合」にはこの税額軽減が使えませんし、相続税本税の35%の重加算税がかけられるというものです。さらに重加算税がかけられると、延滞税が無限にかかってきてしまうデメリットもあります。

2. 申告前の相続人全員の財産チェックが重要

配偶者自身が、仮装または隠蔽していなくて、他の相続人が仮装または隠蔽した財産を配偶者が相続した場合にも、税額軽減が使えません。ですから何が重要かといいますと相続税の申告前に配偶者及び他の相続人の財産を税理士に開示し、例えば配偶者及び他の相続人名義の預金に問題がないかどうかを確認してもらう作業が必要となります。

具体的には、実家からの相続や贈与でもらった財産かどうかの確認や、結婚前・結婚後に自分で働いてできた財産かどうか、さらに生前に被相続人からの贈与でもらったものかどうかの確認作業です。

3. 仮装または隠蔽と認定されたケース・されないケース

まず、配偶者が贈与という直接的な事実を立証できなかったこと及びその配偶者自身が保険契約の指示や不動産購入の指示を行っている場合には、仮装または隠蔽の認定がなされたケースがあります（平成23年5月26

日裁決)。

また、配偶者にも固有の財産があり、相続財産である配偶者名義である夫の財産と配偶者固有の財産とを一括して管理運用しており、これらの財産の明確な区分ができなかったケースでは、配偶者がその配偶者名義財産を明らかに相続財産と認識していたとは認められないということで仮装または隠蔽には当たらないと判断されているケースもあります(平成24年4月24日裁決)。

さらに、家族の名義預金について、課税側はその通帳や印鑑の使用状況や、保管場所などの管理状況について具体的に主張も立証も行わず、原資については相続開始日前3年間の被相続人の収入が多額であること等を挙げるのみで具体的な主張立証をしていないということで相続財産とは認められないとして重加算税も取消されたケースもあります(平成25年12月10日裁決)。

《参考》名義預金に対する誤った理解・正しい理解

【誤った理解】

① 自分名義だから自分のもの

② 自分名義であるから事前にちゃんと贈与してくれたと思っていた

③ 夫婦の財産は2人で協力してできた財産だから私名義の財産は私のもの

④ 自分で働いて貯めたものではないことはわかっていたが、いわゆる生活費の残りは私へのへそくり財産で私のもの

【正しい理解】

① 名義での判断ではなく実態で判断

② 贈与したのであればその証拠（贈与契約書等）が大事

③ 夫婦別産制だからお互いの財産はきちんと分けて管理することが必要

④ へそくりといえども毎年贈与契約書を交わすことが大事

事例 30

毎年コツコツ贈与していたのに名義預金と認定され失敗

私の父はアパート経営をする資産家で、２人の子供と３人の孫がいます。私は相続税が払えるかどうかの不安があり、また、生活も決して楽ではなかったため、これまで何度も父に生前贈与をお願いしてきました。しかし父は、「お金を渡すと、どうせ無駄遣いするだろう。若いうちは必死で働いて苦労したほうがいいんだ」の一点張りでした。

その後、父が亡くなり、通帳を見てみると、10年前と比べて5,000万円も残高が減っていました。父の貸金庫を確認してみると、なんと10年前から年に１回、子供と孫名義の通帳に、贈与税の基礎控除以下で定額貯金を積み立てていたのです。どうやら父は冷たい態度を取りながら、私たちが納税資金に困らないよう心配し、私たち名義の通帳に貯蓄をしておいてくれたのでした。この子供と孫名義の通帳は父名義ではないので、父の相続財産として計上せずに相続税の申告をしました。生前贈与をしておいてくれたおかげで、相続税の負担が減り、私たちは父に感謝しました。

しかしその後、税務署の調査があり、子供と孫名義の預金が名義預金であると指摘されてしまい、相続税を追加で支払うことになりました。

税務調査では下記のような指摘をされた。

1. 子供と孫たちが自分たちの印鑑で通帳を作成していない。
→自分の通帳であれば自分の印鑑を使いますが…。
2. 子供と孫たちが通帳の存在を知らない。
→自分の通帳であればあることは知っているはずですが…。
3. 贈与契約書がなく、子供と孫たちが贈与の事実があったかどうかを知らない。
→本当に贈与が行われていたのでしょうか…。
4. 贈与者が子供と孫たちの通帳の管理・支配・運用をしていた。
→実質的な贈与が行われたとはいえないのでは…。

[ポイント解説]

1. 贈与の実態がなければ名義を変更したにすぎない

本事例のように、単に子供・孫名義の通帳にお金を移しただけでは、贈与をしたことになりません。年間110万円まで非課税で財産を移転できるというのは、贈与の実態があって初めて成り立ちます。適切に贈与された財産は、受贈者が自分のものとして認識して、その資産を使用収益し、また、管理・支配・運用しているのが通常の状態です。その状態でなければ贈与の事実が認められず、名義預金と認定され、相続税の課税対象となる可能性が高いのです。今回の事例では贈与の実態がないと税務調査官から指摘され、名義預金と判断されてしまいました。

2. 贈与の事実を認めてもらうためには、どうすればよかったのか

適切な贈与のポイントは4つあります。

第一に、贈与契約書を作成することです。贈与契約書には、あげる側ともらう側がそれぞれ署名・捺印する必要があります。さらに万全を期すのであれば、公証役場に出向き、確定日付をとっておくといいでしょう。

第二に、贈与税の申告と納税をすることです。むしろ贈与の証拠を残すため、110万円以下に贈与の金額をおさえるのではなく、110万円より少し多めに贈与して、申告と納税をすることも方法の1つです。

第三に、贈与口座を作る時、子供と孫たちは自分の印鑑で通帳を作ることです。

第四に、子供と孫たちは、通帳と印鑑を自分で管理・保管することです。そして自分の財産として、積極的に通帳を活用しましょう。いくら契約書や申告書などをしっかり整えたとしても、実質的に通帳の管理・支払いを子供や孫たちが行っていなければ、贈与の事実があったと認められない場

合もあります。通帳の入出金の記録を見ると、親が自分のタンスの引き出しにその通帳を保管し、子供たちに渡していなかったことはわかってしまうものです。贈与されたお金が入っている通帳は、子供に渡して子供にしっかり管理させましょう。贈与専用の口座などに貯蓄するよりも、実際に受贈者が日常生活のために使用している口座に振り込んだほうが、受贈者が管理している事実が明確になるといえます。

すでに名義預金のある方については、残された家族が税務調査で困らないよう、相続が開始する前に一度真実の所有者に戻した上で、適切な贈与を行っていくとよいでしょう。

《参考》名義預金と指摘されて増加した税額（法定相続どおり取得した場合）

	当初申告	修正申告	差額
不動産（土地・建物）	3億7,000万円	3億7,000万円	―
預貯金（父名義）	1億3,000万円	1億3,000万円	―
預貯金（子供・孫名義）	―	5,000万円	5,000万円
相続財産	5億円	5億5,000万円	5,000万円
相続税※1	1億5,210万円	1億7,460万円	2,250万円
延滞税※2	―	56万円	56万円
過少申告加算税※3	―	225万円	225万円
合計	1億5,210万円	1億7,741万円	2,531万円

※1　相続人が子供２人、令和2年１月１日以降に開始した相続として試算。
※2　延滞税は、計算期間を１年・率2.5%（令和3年分）として計算。
※3　過少申告加算税は10%（原則）として計算。ただし、仮装･隠蔽の場合には、重加算税（35%）が課される場合もあります。

事例 31

妻のへそくりが認めてもらえず失敗

一昨年、夫が亡くなりました。相続人は、私と長男の２人です。夫は収入が多く、お金の管理は夫でしたが毎月余裕のある生活費をもらっており何不自由ない生活を送らせていただきました。

相続税の申告と納税も済ませ、やっと落ち着いていたのですが、その後、税務署から夫の相続税の調査についての連絡がありました。その調査官から、「奥様名義の通帳に多額の預金がございますが、どのように貯めたのですか?」と聞かれ、私はこう答えたのです。「夫からもらった生活費を節約して貯めました」。

私としては、夫婦のお金ですので、特に契約書の作成、贈与税の申告をすることなく当然に私のものだと思っておりましたが、その後、調査官から生活費を貯めた私名義の預金について、名義預金だと言われ相続税の修正申告をすることになりました。

〈法定相続分どおり取得した場合〉

	当初申告	修正申告	差額
不動産（土地・建物）	2億5,000万円	2億5,000万円	—
預貯金	1億円	1億円	—
税務署の指摘事項 **預貯金**（妻名義）	—	5,000万円	—
相続財産	3億5,000万円	4億円	—
相続税※1	4,460万円	5,460万円	1,000万円
延滞税※2	—	26万円	26万円
過少申告加算税※3	—	100万円	100万円
合計	4,460万円	5,586万円	1,126万円

※1　相続人は配偶者と子供１人。配偶者の法定相続分まで配偶者の税額軽減の適用があるものとして計算。

※2　延滞税は、計算期間を１年・率2.6％（令和2年分）として計算。

※3　仮装･隠蔽の場合には、重加算税（35％）が課される場合もあります。

1. 贈与契約書を作成していなかった。
2. 妻名義の預金通帳を貯めるのみで使用していなかった。

[ポイント解説]

1. 名義預金

その預金が「誰のものか」は、①資金の原資②実際の管理や支配、運用の状況などの具体的な事実から、真の所有者が誰かを判断します。

①の資金の原資とは、「誰が稼いできたお金なのか」ということです。無職無収入の人は財産を作れない、だから稼いだ人がその預金の所有者である、専業主婦なら、相続や贈与で財産をもらう以外には、自分の財産を持つことはない、というのは、一般的な家庭内の常識とは異なるかもしれませんが、これが税務上の基本的な考え方です。

②の実際の管理や支配、運用の状況とは、「実際に通帳や印鑑・カードなどを持ち、預金を自由に出し入れしたり、使ったりしていたのは誰か」ということです。一般的に財産を管理する人と支配する人は一致しますが、夫婦の場合には「管理=妻」、「支配=夫」と、一致しないことがよくあります。支配している人とは大きな支出の権限を持っている人のことです。夫は平日の日中は仕事があり、銀行の窓口に行く時間がとれません。専業主婦やパートで働く妻が、夫の通帳や印鑑を持っていて、銀行に行き、生活費の出し入れをすることは、ごく普通にあるでしょう。この場合、妻は家族が生活するためのお金を夫から預かり、管理をしているだけです。そのお金

を自由に使っていたとしても、支配していることにはなりません。夫からの包括的な同意を得て、「その家のお金」について、それらの行為を行っているだけだと考えられます。

①と②の事実を両方満たす人、つまりお金を稼ぎ、大きな支出の権限を持っている夫が、そのお金の真の所有者となります。

2. 贈与

民法上の贈与については、民法第549条において「贈与は当事者一方がある財産を無償で相手方に与える意思を表示し、相手方が受諾をすることによって、その効力が生ずる」と規定されています。つまり、贈与者による贈与の意思表示（「あげます」という申し出）と受贈者による受贈の意思表示（「もらいます」という受諾）が合致して成立する契約行為であることがその特徴です。配偶者名義で預金をして何年経過していても、民法上の贈与が行われていない場合には、相続財産に計上されることになります。

3. どうすればよかったのか

本事例のケースのように、奥様名義または別の方名義の預金が被相続人の名義預金と指摘されないように、都度、贈与契約書を作成しましょう。そして、奥様が積極的に通帳を活用しましょう。贈与契約書がなく、かつ、貯まったお金が使用されることなく通帳に入ったままですと、名義預金と指摘されるリスクが大きくなります。

事例 32

貸金庫をあけられてしまい失敗

私は夫を亡くし相続税の申告を税理士に依頼しました。申告と納税はなんとか終わり、ホッと安心しておりました。申告をしてから２年後の９月、忘れたころにこの税理士から連絡があり、相続税の税務調査のために日程調整をしたいとのことでした。

９月の下旬に税務調査の当日となりました。特に税理士からは事前の打ち合わせもなく当日を迎えたため、私は不安でしかたありませんでした。とりあえず税理士に立ち会ってもらい任せきりにしていたのです。

午前中は、リビングでヒアリングを受けました。調査官は２名やってきました。夫の過去の経歴や、入院時のこと、また、夫だけでなく私や長男の経歴や、財産管理のことなどいろいろと聞いてきました。

ほどなくしてお昼になりました。昼食時には、調査官は一旦外へ出ていきました。私と税理士はリビングに残り、午前中の反省会をしていました。

調査官は、夫の口座から引き出していた生活費のことをしきりに気にしているようでした。

午後1時、調査官が戻ってきました。午後は現物確認をすると言われ、夫や私の通帳、自宅の権利証などを出しました。調査官はこれらをチェックして、なにやらデジタルカメラで写真を撮っています。

すると今度は、貸金庫を見に行くと言いました。そこまで行くとは事前に知らされていないためびっくりしました。貸金庫には、夫の通帳が何冊か残っていました。調査官が通帳をめくっているとメモが落ちてきて、そこには「長男　車　500万」と書いてあり騒然となりました。

結局その車とは、夫を介護するための車で名義は夫のものでした。運転を長男にしてもらうことになっていたのでそのようなメモが残っており、特に追徴課税はありませんでした。しかし、貸金庫を見られるとは知らなかったのでとてもびっくりしました。

1. 税務調査の前に税理士と打ち合わせをしていなかった。
2. 自宅の金庫も銀行の貸金庫も中身を見られると知らなかった。
3. 税務調査の前に、調査官に確認されるものを前もって見ていなかった。

[ポイント解説]

1. 1割強の方に相続税の税務調査が

相続税の申告したうち、約10%くらいの確率で税務調査が入っています。亡くなった方の財産のことはもちろんのこと、その親族にまで調査はおよびます。事前に税理士と相談をして、当初の申告で漏れているものがあったり、気になることがあったりすれば、確認しておきましょう。漏れているものは隠していると調査官に思われてしまい余計に怪しまれてしまいます。

(税務調査当日の一般的な流れ)

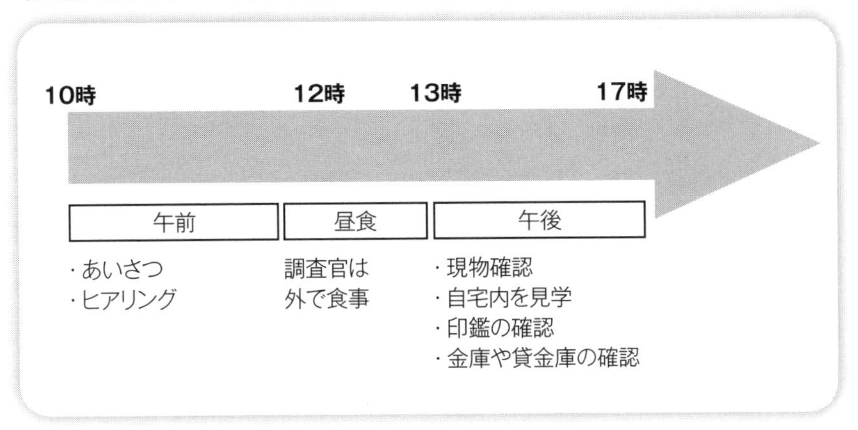

2. 午前中はヒアリング

午前中はヒアリングです。亡くなった方や家族の経歴、趣味、過去からの住所、財産管理、所得の状況など、様々なことを聞かれます。また、亡くなった方の意思能力について聞かれることもよくあります。認知症であるにもかかわらず長男が300万円を引き出していて「これは贈与です」と主張しても認知症の方の贈与は認められないことが一般的です。

3. 午後は現物確認

午後は現物確認をします。通帳や印鑑、権利証などをチェックされます。調査官は事前に金融機関で預金の流れをチェックすることができますが、通帳の現物にはメモが書いてあります。特段怪しいことが書いていなければ問題はありませんが、「長男に贈与300万円」と書いてあって、贈与税の申告をしていないと問題でしょう。

自宅の中も歩いて確認をします。その際、申告をしていない金の延べ棒や、回収しきれていない金銭消費貸借契約書などが出てきたら大騒ぎです。漏れている財産は素直に事前に申し出をしておくことが重要です。

4. とにかく事前の確認が大切です

通常、事業をしていない限り税務署の方と接点を持つことはそうそうないでしょう。税務調査がきても慌てずに、かつ税務調査に慣れている税理士に相談することが肝心です。貸金庫にくることが事前にわかっていれば慌てることもなかったですね。

事例 33

相続対策をやりすぎて失敗

父は、亡くなる１年前に友人から相続対策になるからと勧められて、都心に２億円のタワーマンション（以下、「タワマン」）を借入金で購入して、その後に第三者へ賃貸していました。相続税の申告の際は、ルールどおりに土地は路線価評価、建物は固定資産税評価額をベースに評価を行ったところ、4,000万円（購入価額の５分の１）ほどとなっていたので、本当に相続対策になるのだなと思いながらも4,000万円で評価を行い、相続税を支払いました。実は、タワマンの賃料に対して支払利息や返済の負担が重く収支の採算が取れているとは言えなったので、所有していても仕方がないと思い、私は相続税の申告期限の直後に売りに出してみたところ、購入時と同じ２億円で売却ができましたので、その原資で借入金を完済しました。ところが、後日税務調査が入り、タワマンの評価として4,000万円は妥当ではなく、２億円の評価額であると指摘を受け、修正申告に伴い、不足分の相続税（本税）と附帯税（延滞税・加算税）

を後から支払うことになってしまいました。ルールどおりに評価を行ったのにもかかわらず納得することができません。

相続対策として、相続税評価額と実際の時価との乖離を狙ったタワマンの購入（いわゆるタワマン節税）については、財産評価基本通達を適用して評価（土地の路線価評価や建物の固定資産税評価額による評価）を行うことが不合理であると認められる特別の事情があると判断された場合、課税庁から、同通達のいわゆる「６項」のアプローチで、否認される可能性があることを理解していなかった。

［ポイント解説］

1．タワーマンションの評価

相続財産の評価基準を規定した財産評価基本通達（以下、「評価通達」）では、土地については路線価、家屋については固定資産税評価額により評価されます。さらに家屋を賃貸している場合には、借家権等を考慮して、土地は貸家建付地、家屋は貸家としてさらに評価が減額される仕組みとなっています。タワマンについては、特に家屋に適用する固定資産税評価額について、方角や階数、さらに眺望などは考慮されておらず、また戸数も多いことから、土地の所有する面積はタワマンの戸数に応じた持分で計算されるため僅かの面積となります。ここに相続税における評価額と時価（実際の購入価額や売却額等）に大きな乖離が生じることになるのです。

2．財産評価基本通達の「６項」とは

評価通達には、まず第１項で、財産の価額は時価によるもので、時価とは課税時期において、それぞれの財産の現況に応じ、不特定多数の当事者間で自由な取引が行われる場合に通常成立すると認められる価額としつつも、実際は時価の判断が困難であることから、この通達の定めによって評価した価額によると定められています。一方で、評価通達の第６項において、「この通達の定めによって評価することが著しく不適当と認められる財産の価額は、国税庁長官の指示を受けて評価する」という規定があるのです。つまり、タワマンの評価通達による相続税評価額と市場価格に大きな乖離がある場合のように、個別的な要素を考慮した上で、評価通達による相続税評価額が不適当であると認められる場合には、不動産鑑定士の評価や購入価額さらには実際の売却額等のいわゆる時価により評価されることもあり得るということなのです。

3．否認されているケース

タワマンの評価額について、評価通達に基づいて申告したところ、課税庁が同「６項」を適用して、鑑定評価または購入価額さらには実際の売却額等により評価をするべきとして否認されている裁判例や裁決事例が実際にあります。これらの傾向を見ますと、評価通達による相続税評価額と客観的な交換価値を示す時価や購入価額とに大きな乖離があることを前提に、例えば、高齢の被相続人が相続直前にタワマンを購入して、相続開始から数ヶ月後に売却していることや、タワマンを購入する際に、その購入に関して原資を借入金で賄っていて、収支がマイナスであるなど収益性が

なく経済合理性がないことなどが言われています。近年の裁判例では、必ずしも相続開始後に売却に至っていなくとも、評価通達による相続税評価額と借入金との差額が、現預金など他の財産から控除され、相続税の価格が基礎控除以下まで圧縮され相続税がかからないこととなったことに関して、相続直前に借入金でタワマンを購入するという行為やその事実関係から見て相続対策で行っていることが明らかであることなど、課税の公平性の観点から否認された事案もあります。これらの事実があるからといって全て否認されるかどうかは、ケースによって個別対応になるかと思いますが、この「6項」による評価がなされる可能性があることを考慮しつつ、タワマンの評価をする場合には、もっというとタワマンを相続対策で購入する際には、慎重に行っていく必要があるでしょう。

納税資金調達

事例34　自社株で納税するつもりが分割協議できず失敗

事例35　延納で担保提供ができずに失敗

事例36　相続財産の譲渡に税金がかかると知らず失敗

事例37　納税資金を準備せず、連帯納付義務で失敗

事例38　自宅の軒先を譲渡して失敗

事例39　納税資金を肩代わりしてもらい失敗

事例 34

自社株で納税するつもりが分割協議できず失敗

私の父は同族会社の社長で、私は長男です。会社の業績は順調で私は長男だったこともあり、父の会社に入り、父から会社経営を学んでおりました。私には弟（二男）が１人おりましたが、弟は会社の経営には興味を持たず、サラリーマンとして会社勤めをしていました。数年前に母が亡くなった時に父から会社は長男である私が継ぐように話があり、弟も同意していたため、事業承継も順調に進んでいると考えていました。ところが急遽、父が体調を崩し、そのまま亡くなってしまいました。

父の相続税申告を会社の顧問税理士へ依頼したところ、同族会社の株式は全株父のものとなっていたこともあり、多額の相続税支払いが必要といわれましたが、父の株式を私が相続し、その株式を同族会社が私から自社株買いすることで納税資金を捻出することができるとのことでした。

私は、弟との遺産分割協議にてその旨話をしたところ、自社株以外に大きな財産がないことから、弟から「自分も自社株の半分を相続して資金化したい」と言われてしまいました。しかし、会社には相続税の納税資金分くらいしか預貯金がないため、話し合いはまとまりませんでした。結局、相続税の申告期限までに遺産分割協議が終わらず、納税資金の目途が立たないまま、未分割の状態で申告することになってしまいました。

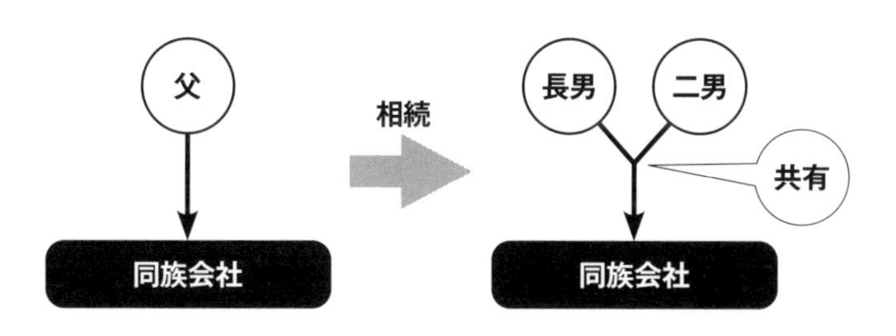

1. 同族会社の後継者が決まっていながら、「争続」対策を何もしていなかった。
2. 父が遺言書を作成していれば申告期限内に自社株買いを実行し、納税資金が確保できたのに、遺言書を作成していなかった。

［ポイント解説］

1. 同族株式が未分割となる場合の問題

父が全株所有していた株式は、遺産分割協議が成立するまでの間、法定相続人であるきょうだいで共有することになります。そのため、遺産分割協議が成立するまでの間の株主権の行使は、過去の判例によると株式の共有持分の過半数をもって定めるとされています。今回の場合は、過半数を有する者がいないため、同族会社の同意がなければ、議決権の行使も困難な状態です。

また、未分割の場合には、以下に解説する自社株譲渡の特例のほか、相続税の計算上、非上場株式等に係る相続税の納税猶予、小規模宅地等の特例、配偶者の税額軽減などの税負担を抑える特例の適用が受けられないことになります。

2. 相続した自社株を発行会社に譲渡した場合の税金

同族会社による自社株の買い取りは、譲渡をした個人株主の税金計算上、譲渡対価の一部が配当とみなされ、総合課税の対象となり、超過累進税率により課税されます。その取り扱いの例外が相続税を負担した個人株主が相続により取得した自社株を発行会社へ譲渡した場合の以下の特例です。

①相続人が株式を発行会社へ売却した場合のみなし配当の特例

・相続税の負担がない個人株主

自社株の譲渡ですので、配当課税となります。

・相続税の負担がある個人株主

相続または遺贈により財産を取得した個人で相続税額の負担がある者が、相続開始があった日の翌日から３年10ヶ月以内に、その取得した自社株を発行会社に譲渡した場合には、自社株の譲渡ですが、配当課税ではなく株式分離課税となります。

②相続税額の取得費加算特例

相続または遺贈により取得した自社株を、相続開始のあった日の翌日から３年10ヶ月以内に譲渡した場合には、以下の算式により計算した金額を譲渡所得の取得費に加算できるため、譲渡の税金を抑えることができます。

$$\text{株式を譲渡した個人の相続税額} \times \frac{\text{相続税の課税価格に算入された譲渡した自社株の相続税評価額}}{\text{株式を譲渡した個人の相続税の課税価格（債務控除前の課税価格）}}$$

これらの特例は、相続または遺贈により取得した株式が対象となるため、遺言書がない場合には、特例の適用期限内に遺産分割協議を成立させ、譲渡を実行する必要があります。

遺留分を侵害しない遺言書があれば、長男への事業承継がスムーズに進み、納税資金確保のための自社株買いも実行できるはずでした。自社株の相続は様々な特例や注意点があります。税理士等の専門家に相談し、具体的な対策を立て、実行していくことをお勧めします。

事例 35

延納で担保提供ができずに失敗

私の父は地主で、相続人は私と兄の２人です。先祖代々引き継がれている土地のため、売却せずに守るようにずっと言われてきました。そんな父が先日、亡くなりました。私たちきょうだいは昔から仲が悪かったにもかかわらず、父は遺言書を残してくれなかったため、遺産分割協議はうまくいきません。恥ずかしながらお互い相続したい財産は、利回りの良い賃貸マンションとその敷地であり、一歩も引くことができませんでした。父の残した財産の内訳は、先ほどの利回りの良い賃貸マンションが大部分を占めていたのでしかたなく共有で相続しました。相続税の納税は、原則申告期限までに金銭一時納付とは知っておりましたが、私は納付が困難なため、延納をする準備をしました。いざ延納申請をすると、後日税務署から連絡があり、共有財産の持分を担保に供する場合は相続人全員が担保提供に同意する必要があるとのことで、却下されてしまいました。兄は自分自身のお金で納税し、当然担保提供に同意はしてく

れませんでした。延納ができないこととなったため、金銭一時納付せざるを得なくなり、私は恥ずかしながらも独立している息子たちや親戚にお金を借りて納付しました。

1. 延納をする際に必要な担保について、条件を知らなかった。
2. 相続税の納税方法について、事前に計画をしていなかった。

［ポイント解説］

1. 相続税の申告期限と納税方法

相続税の申告期限及び納期限は、被相続人が死亡したことを知った日の翌日から10ヶ月以内に行うことになっています。相続税は金銭で一度に納めるのが原則ですが、特別な納税方法として延納制度と物納制度があります。

2. 延納制度の概要

国税は、金銭で一時に納付することが原則です。しかし、相続税額が10万円を超え、金銭で納付することを困難とする事由がある場合には、納税者の申請により、その納付を困難とする金額を限度として、担保を提供することにより、年賦で納付することができます。これを延納といいますが、この延納期間中は利子税の納付が必要となります。次に掲げる全ての要件を満たす場合に、延納申請をすることができます。

(1) 相続税が10万円を超えること。

(2) 金銭で納付することを困難とする事由があり、かつ、その納付を困難とする金額の範囲内であること。

(3) 延納税額及び利子税の額に相当する担保を提供すること。
ただし、延納税額が100万円以下で、かつ、延納期間が３年以下である場合には担保を提供する必要はありません。

(4) 延納申請に係る相続税の納期限または納付すべき日（延納申請期限）までに、延納申請書に担保提供関係書類を添付して税務署長に提出すること。

【担保として提供できる財産】

担保として提供できる財産は、次に掲げる財産であり、この中からなるべく処分の容易なもので、価額の変動のおそれが少ないものを選択してください。

①国債及び地方債

②社債（特別の法律により設立された法人が発行する債券を含む）、その他の有価証券で税務署長等が確実と認めるもの

③土地

④建物、立木及び登記・登録される船舶、飛行機、回転翼航空機、自動車、建設機械で、保険に附したもの

⑤鉄道財団、工場財団、鉱業財団、軌道財団、運河財団、漁業財団、港湾運送事業財団、道路交通事業財団及び観光施設財団

⑥税務署長等が確実と認める保証人の保証

【担保として不適切な財産】

担保となる財産は、その担保に係る国税を徴収できる金銭価値を有するものでなければならないことから、一般的に次に掲げるようなものは担保として不適格とされます。

①法令上担保権の設定または処分が禁止されているもの

②違法建築、土地の違法利用のため建物除去命令等がされているもの

③共同相続人間で所有権を争っている場合など、係争中のもの

④売却できる見込みのないもの

⑤共有財産の持分（共有者全員が持分全部を提供する場合を除く）

⑥担保に係る国税の附帯税を含む全額を担保としていないもの

⑦担保の存続期間が延納期間より短いもの

⑧第三者または法定代理人等の同意が必要な場合に、その同意が得られないもの

相続税については、申告期限までに金銭一時納付が原則です。しかし、地主のように、相続財産のうちに不動産の占める割合が多い場合や分割が決まらない場合など相続税を納付するのが困難なケースがよくあります。また、今回のケースのように、共有で相続した場合、共有の相手方の承諾を得られない等延納の担保とすることが難しいこともあります。相続税の納税方法については、事前に税理士等の専門家に相談し、計画的な準備をすることをお勧めします。

事例 36

相続財産の譲渡に税金がかかると知らず失敗

私の父は、生前、上場株式・投資信託などの投資が趣味でした。また、財産の保全として、金地金も購入して、銀行の貸金庫に預けていました。

父が亡くなって財産を計算してみると、自宅4,000万円と現預金2,000万円、上場株式8,000万円、金地金2,000万円でした。遺産分割協議により、自宅と現預金は母が取得し、それ以外は私が取得することになり、私の納付すべき相続税は約1,330万円でした。私は、上場株式の半分と金地金を全て換金して、相続税を納付し、相続税の申告も済ませました。また、残りはマイホームの購入資金に充てることにしました。

私はサラリーマンですが、医療費控除を受けるために、毎年自分で確定申告をしていました。今年も今までと同様に自分で確定申告しましたが、申告書を提出してしばらくしてから、株式と金の譲渡の申告が漏れている、と税務署より連絡があ

りました。

父からもらった財産については、すでに相続税を支払っているので、さらに所得税もかかるとは知りませんでした。しかも、上場株式は、相続時点と同じ価額で売却したにもかかわらず、所得税計算上は利益が約2,500万円で計算されるといわれ、かつ、金の譲渡については、かなり高い税率が適用されてしまい、納税分の資金を残していなかったため、どうしたらいいか困っています。

<相続した上場株式･金地金を売却した場合の所得税･住民税>

	金地金	上場株式	計
譲渡価額	2,000万円	4,000万円	6,000万円
取得費・譲渡費用※2	500万円	1,500万円	2,000万円
税率	43%	20%	—
所得税・住民税	約491万円※1	約500万円	約991万円

売却による資金調達

売却額	6,000万円
相続税	△ 1,330万円
所得税・住民税	△ 991万円
マイホーム購入	△ 4,500万円
不足額	△ 821万円

※1　所得金額（所得控除後）が1,700万円と仮定。

※2　相続税の取得費加算額を含む。

1. 相続財産を譲渡した時に、所得税がかかることを知らなかった。
2. 所得税の計算上、取得費は、被相続人の取得費を引き継ぐことを知らなかった。
3. 金の譲渡は、総合課税により超過累進税率が適用されるため、給与所得を合わせると税率が高くなることを考慮していなかった。

[ポイント解説]

1．相続財産の譲渡には所得税がかかる

相続した財産について、相続税の納税資金が足りない、株式を取得したが換金して他の用途に現金を使いたい、などの理由で、財産を譲渡することはよくあることです。

この時に気をつけなければいけないのは、相続税を納付して終わりではなく、譲渡すれば、さらに所得税や住民税がかかることです。そのため、所得税等の負担も考慮して、換金したあとの現金の使途を考えるべきです。

なお、相続した財産を、相続後一定期間内に譲渡した時には、「相続税の取得費加算の特例」の適用を受けることができます。この特例は、相続税を納めた人だけが受けることができます。

＜相続税の取得費加算の特例＞

適用期間	相続税の申告期限の翌日から３年を経過する日まで
適用要件	添付書類とともに、確定申告書を提出すること
計算方法	下記の金額を譲渡所得の計算上、取得費に加算することができます $\text{その方の相続税} \times \frac{\text{その譲渡した資産の相続税評価額}}{\text{その方の相続税の課税価格} + \text{その方の債務控除額}}$

2. 取得費の引き継ぎ

譲渡所得税の計算の際には、取得費の金額は、相続税を申告した際の評価額は使いません。あくまで、亡くなった人がもともと取得した時の金額をき引き継ぐことになります。

ですから、かなり以前に購入した財産や、先祖代々の財産については、取得費が低額または不明であることも多いかと思われます。取得費がわからない場合には、概算取得費（譲渡価額×５％）により計算することができます。ただし、この方法で計算すると、譲渡所得税の計算上、利益が大きく膨らみ、所得税が高くなることが多いので、特に注意が必要です。

3. 金地金の売却は要注意

金地金の売却については、土地や株式と違い、総合課税により超過累進税率が適用されます。超過累進税率とは、収入が高くなるほど、税率も高くなる仕組みになっています。

給与所得があるサラリーマンや、不動産所得がある不動産貸付業を営んでいる方は、毎年の収入に金地金の譲渡所得も合計して計算することになります。そうすると、税率がアップして、思わぬ税負担になることがありますので、売却する年を何年かに分けるなど、工夫が必要です。

事例 37

納税資金を準備せず、連帯納付義務で失敗

私の父が亡くなりました。母は以前に亡くなっていたため、相続人は長女の私と、妹の2人です。父の財産は、出身地で先代から相続した更地と、預貯金でした。父は、生前から先代から相続した更地は、私のいとこである本家の長男に引き継いでもらいたいと話していました。そのため遺言を作っており、その更地をいとこへ遺贈し、預貯金は私たち姉妹で2分の1ずつ相続する内容になっておりました。

いとこと連絡を取り、申告書に捺印をもらい、相続税の納付書を渡し、安心しておりましたが、しばらくして税務署から連絡があり、いとこに何度も相続税の督促をしても音沙汰がなく音信不通であるため、連帯納付義務で私たちに相続税を払ってほしいと言われました。

	合計	長女	二女	いとこ
更地	5,000万円			5,000万円
預貯金	1億円	5,000万円	5,000万円	
合計	1億5,000万円	5,000万円	5,000万円	5,000万円
相続税	1,839万円	613万円	613万円	613万円
2割加算	122万円			122万円
納税額	1,961万円	613万円	613万円	735万円

1. 相続税は自分だけ払っていれば安心ではない。
2. 他の相続人や受遺者が納税できない場合、連帯して納税をしなければならない。
3. 遺言を作る際も、納税を考慮して作成するべき。

[ポイント解説]

1. 原則は申告期限までに申告と納税

相続税の申告期限は相続開始から10ヶ月です。そしてこの申告期限までに納税もしなければなりません。納税ができない時は、相続した相続人や受遺者の個人の金銭で納税しなければいけません。一般的にこの金銭での一括納付ができない場合には、延納や物納を検討することとなりますが、金銭で納付することが困難であることなどの要件を満たし、申請が承認されないと認められません。

本事例のように、相続した相続人や受遺者が、納税しないまま音信不通になってしまったり、相続した後に散財し、納税ができない場合には、連帯納付義務の対象となります。

2．相続税の連帯納付義務とは

相続税の連帯納付義務とは、被相続人から財産を取得した他の相続人等がいて、ある人が相続税の納付を行っていない場合、他の相続人等は自分の受けた利益を限度として他の相続人の相続税を納めなければならない義務のことをいいます。

つまり、自分はきちんと納税をしていたとしても、他の相続人等が納税していないと互いが連帯して納税をする義務がある、ということです。

3．平成23・24年度税制改正により緩和

平成23年度税制改正により、連帯納付義務者の納付する相続税にかかる延滞税を、負担の少ない利子税に代えるという改正がありました。

そして、平成24年度税制改正により、納税者権利憲章の一環として、また、かねてから不意打ちと批判もあったことから、下記に該当する場合には、連帯納付義務は免除されます。

①相続税の申告期限から5年を経過した場合

②当初の納税義務者が延納や納税猶予の適用を受けた場合

4．どうすればよかったか

よかれと思って不動産などのすぐに現金化できない財産を、遺贈することが本当によかったか、まずは考える必要があります。相続税のことを考慮しないと、無用な親族間でのトラブルとなることも考えられます。本事例の場合、長女や二女からすれば「なんで私たちはちゃんと税金を払った

のに、いとこの分まで払わないといけないの？」と納得がいかないでしょう。

あらかじめ遺言を作成する場合には、下記のように納税資金分も考慮して遺言を作成するとよいでしょう。

	合計	長女	二女	いとこ
更地	**5,000万円**			5,000万円
預貯金	**1億円**	4,500万円	4,500万円	1,000万円
合計	**1億5,000万円**	4,500万円	4,500万円	6,000万円
相続税	**1,840万円**	552万円	552万円	736万円
2割加算	**147万円**			147万円
納税額	**1,987万円**	552万円	552万円	883万円

事例 38

自宅の軒先を譲渡して失敗

父に相続が発生しました。父は金融資産が少なかったため相続税の納税ができず、唯一の不動産である自宅を売ることとしました。

ただ、娘である私が現在も住む家でもありますので、全て譲渡するわけにもいかず、自宅の土地の一部を分筆した上で譲渡をし、相続税の納税に充てることにしました。

マイホームを売却した場合の税制上の特例があることは知っていたため、売却にかかる税金はほとんどないだろうという認識でいましたが、そうではありませんでした。

税理士に相談をしたところ、軒先の土地のみの譲渡であるためマイホームの特例を使うことができず、多額の譲渡税が発生すると言われたのです。

譲渡税の準備はしていません。譲渡税の納税資金を準備するのに大変困りました。

その際、税理士から、自宅を減らさず相続税の納税をすることができるという底地物納の存在を初めて知りました。

1. 自宅の譲渡であるため、3,000万円の特別控除などのマイホームの特例を使えると勘違いしていた。
2. 底地物納の方法を知らなかった。

[ポイント解説]

1. マイホームを売った場合の税金

土地や建物を譲渡した場合には、譲渡所得として、他の所得と分けて所得税や住民税が課税されます。売値から取得費（買値）、譲渡の際に要した費用を差し引いた残り（もうけ）を譲渡所得として、土地建物の所有期間に応じて一定の税率を乗じて計算します。

マイホームを売った時は、一定の要件を満たせば、所有期間の長短に関係なく、譲渡所得から最高3,000万円まで控除したり、通常よりも低い税率で計算をすることができる特例があります。

この特例は、建物を譲渡するか、建物とともに土地を譲渡すること（建物取壊し後一定期間内の譲渡も含む）が要件となりますので、本事例のケースのように、自宅の土地（一部）だけを譲渡し、建物を譲渡せず引き続き所有する軒先譲渡の場合には、この特例を使うことができません。

2. 底地物納

①底地物納とは

相続税には、３つの納税方法があります。

まず、現金での一括納付が原則的な納税方法です。しかし、一括納付する現金がない場合には、分割払いで納める「延納」という納税方法と、延納によっても相続税を払うことができない場合には、不動産などの相続財産（モノ）を相続税評価額で納める「物納」という納税方法が認められます。

底地物納とは、完全所有権の土地をそのまま納税するのではなく、借地権部分と底地部分に分け、底地部分のみを納税に充てる方法です。

また、もともと借地権者がおり、底地のみを所有している場合に、その底地部分のみを納税に充てる方法も底地物納です。

②底地物納のメリット

売却する土地を全て引き続き所有し続けることができ、また、土地の所有者は国となるため、地代の支払いが発生しますが、固定資産税等を支払う必要がなくなります。

国は、底地の売却（払い下げ）を原則として借地権者にしか行いません。そのため、金銭的な余裕ができた場合には、底地を買い戻すことも可能です（３年に１度、国から買い取りの要請があります）。

納税資金確保のため、不動産の売却を検討される方は多いかと思いますが、物納という選択肢もあります。税理士等の専門家に相談した上で、比較検討したほうがよいでしょう。

【底地物納のイメージ】

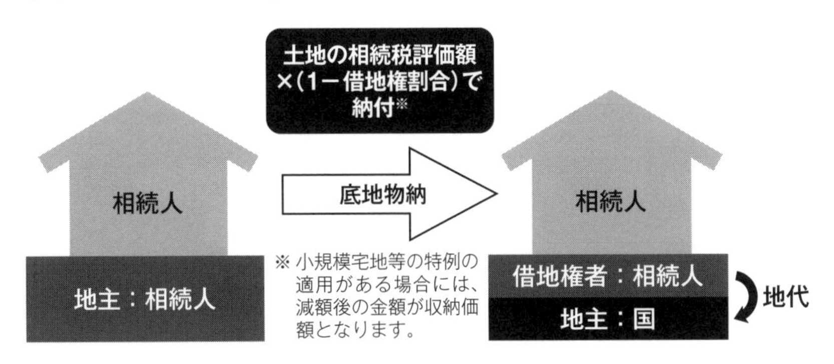

事例 **39**

納税資金を肩代わりしてもらい失敗

数年前、父が亡くなりました。相続人は私と母と弟の３人で、遺言書が残されていたので揉めることなく相続することができました。遺言書の内容は、金融資産１億円は母へ、長男である私が自宅１億円、弟が賃貸アパート１億円を相続する内容でした。揉めることはなかったので、税理士に相続税の申告をお願いし、相続税を計算してもらいましたが、私と弟は不動産のみを相続したため、相続税の納税資金を準備できず、母に立て替えてもらい、申告期限までに無事に納税をすることができました。

その後数年が経ち、母が亡くなりました。母も遺言書を残してくれていたので揉めることなく相続できました。遺言書の内容は、金融資産を２分の１ずつとする内容でした。

私も弟も仕事が忙しく、相続税の金額は把握していたつもりだったため、相続税の申告について後回しにしていました。母が亡くなってから８ヶ月が経ち、ようやく税理士にお願いしたのですが、その際、税理士から父の相続について指摘されました。

当時「相続税については、お母様が２人の相続税を立て替え払いしているだけですので、今後返済してください」と言われていたのを忘れていたのです。

私と弟が把握していた相続財産には、この立替金が含まれておらず、金融資産２億円の他に立替金3,800万円があったのです。当然、把握していた相続税の金額が違います。

税理士からの指摘により立替金の計上漏れもなく、申告期限までに無事に納税をすることができました。

●父の相続

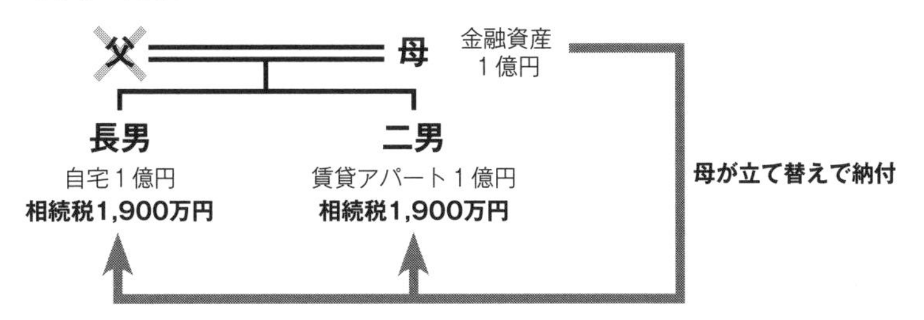

●母の相続

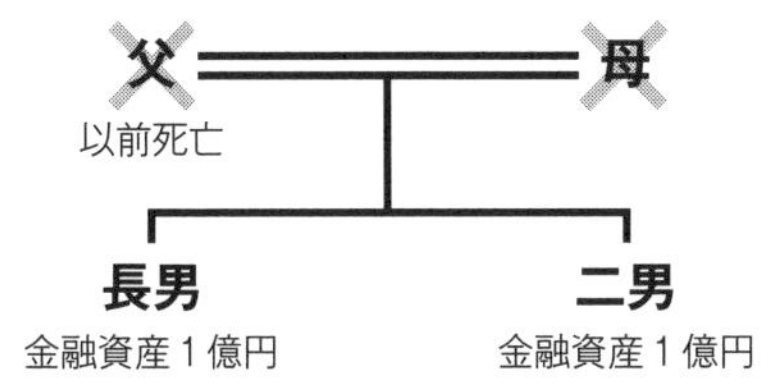

	想定していた相続税	実際に申告した相続税	差額
金融資産	2億円	2億円	—
立替金	—	3,800万円	—
相続財産	2億円	2億3,800万円	—
相続税	3,340万円	4,480万円	1,140万円

立替金（貸付金）が相続財産になると知らなかった。

[ポイント解説]

相続税は原則として、死亡した人の財産を相続や遺贈（死因贈与を含みます）によって取得した場合に、その取得した財産にかかります。この場合の財産とは、現金、預貯金、有価証券、宝石、土地、家屋などのほか貸付金（立替金）、特許権、著作権など金銭に見積もることができる経済的価値のある全てのものをいいます。

本事例のケースのように親族間での金銭の貸し借りについては、返済がされないことがよくあります。親族間のためうやむやになってしまうのです。

そして、相続財産に計上されず、税務調査で指摘されることがあります。

親族間の金銭の貸し借りは、税務署も目を光らせている項目の1つですので、このような場合は、金銭消費貸借契約書を作成し、かつ、継続的に返済をする契約にすることをお勧めします。

もし、母の財産が多く、相続税率が高い場合には、金銭で返済はしてもらうが、長男、二男に返済してもらった財産を贈与することも１つの方法と考えられます。

MEMO

自社株

事例 40

組織再編直後に相続が発生して失敗

私は運送業を営む法人の代表取締役で、家族構成は両親のほか妹が１人います。当社は父が創業した会社で、相続により私が株式を承継する予定でした。父は相続や遺言のことを考えるのが嫌いなタイプでしたが、１年前に軽度の脳梗塞で救急搬送されたのを契機に、真剣に考え始めたようでした。

父には会社にお金を残すという考えのもと自身の役員報酬も決めていたことから、会社の株式と本社兼自宅である不動産以外には目立った財産がなく、これを会社を継ぐ予定の私に全て相続させると、私と妹のバランスが取れないと考え、会社を会社分割により倉庫１棟を保有する法人（次頁右図 旧㈱A）と運送業を営む法人（次頁右図 新設㈱B）の２つに分け、前者を妹に、後者を私に相続させる遺言を書いていました。

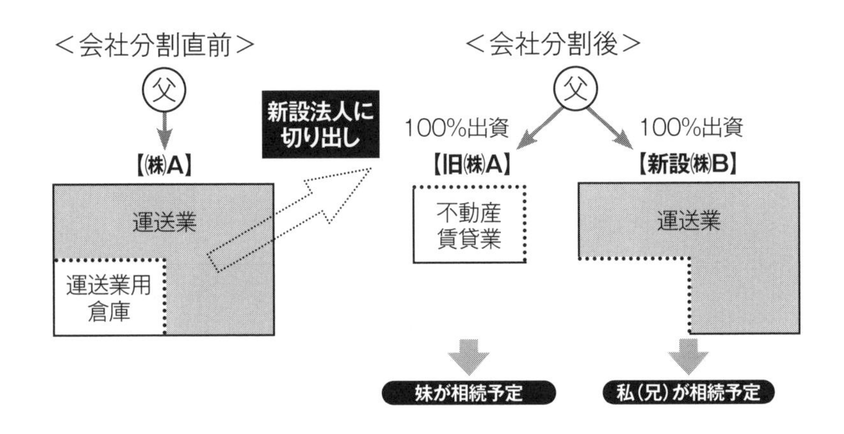

ところが、遺言を書いてから数ヶ月が経った先月、父は再び脳梗塞で倒れ、帰らぬ人となってしまいました。父は亡くなる直前に「相続のことを考えて会社も分けて、遺言もきちんと書いておいたから心配するな」と言っていたので、心配はしていなかったのですが、納骨を済ませたころに顧問税理士が来訪し、相続税の概算額を聞いた時には、生前父から聞いていた数倍も高く愕然としました。顧問税理士は父が脳梗塞で、再び倒れるリスクがそれなりにあることを知らされていなかったようで、説明によれば、会社の主たる事業に変更があった直後や法人を設立した直後は株式の評価が高くなるということだったので、やむなく相続税の申告と高額な納税をすることになってしまいました。

開業３年未満の会社など一定の条件に該当する会社の株式については、「類似業種比準価額」の使用ができず、「純資産価額」により評価され、一般的に相続税評価額が高くなることを知らなかった。

[ポイント解説]

1．非上場会社株式の相続税法上の評価

非上場株式の相続税法上の評価額がどのように計算されるかご存じでしょうか。上場株式であれば、新聞やインターネットで株価をすぐに知ることができますが、非上場株式となればそういうわけにはいきません。非上場株式の評価は、実務上「財産評価基本通達」に従って行われており、年間配当額、年間利益金額及び税務上の純資産価額を上場企業のそれと比較して計算する「類似業種比準価額」と法人の貸借対照表を時価換算して計算する「純資産価額」の２つを、会社規模に応じて併用して計算します。

<非上場株式の評価方法（概要）>

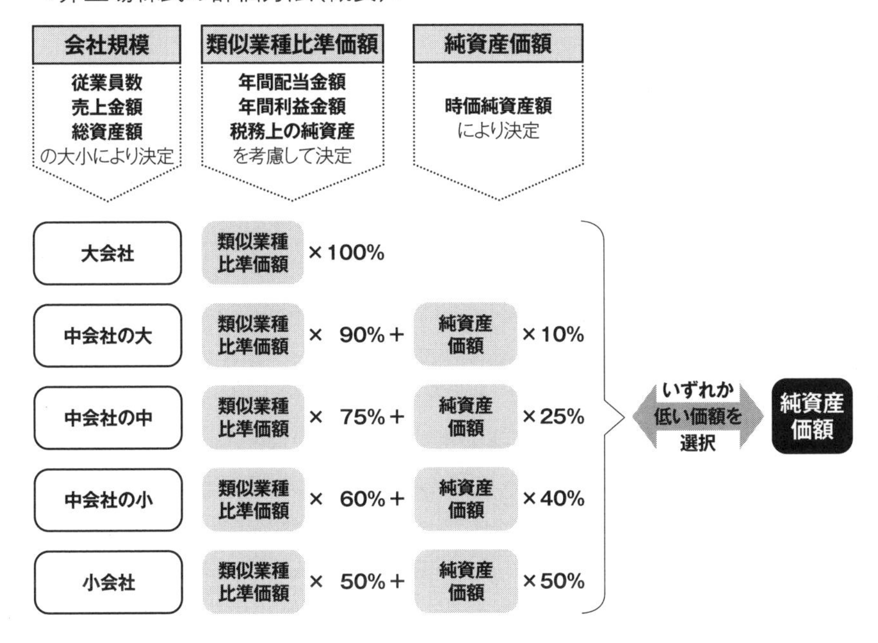

2. 特定のケースには「純資産価額」による評価が強制される場合も

上記１で非上場株式の評価方法の概要を説明いたしましたが、特定のケース、例えば、開業後３年未満の会社や主たる業種が変わってから間もない会社に該当する場合、類似業種比準価額の測定が難しいため、通常は純資産価額により評価します。一般的に純資産価額は類似業種比準価額よりも評価額が高くなるため、相続税を押し上げる効果がありますので注意が必要です。税理士がご本人やご両親の体調をお尋ねするのは、健康状態を心配するという一般的な感情はもちろんのこと、相続税対策によっては、実行後すぐに相続が開始した場合に著しく不利になる可能性があるため、お聞きしていることがあります。税理士には守秘義務が課せられており、お聞きした情報を許諾を得ることなく他言することはありません。是非ご安心いただいて、正しい情報や状況を伝えた上でご相談ください。

事例 41

無配を継続して株価が高くなり失敗

父は創業社長で自社株式の大半を所有していました。過去に事業を大きく拡大させ、会社にはかなりの内部留保がありました。相続対策も視野に入れていたようですが、十分な対策実行前に急逝してしまいました。過去の利益蓄積はありますが、ここ４、５年は赤字続きで無理をしていたのかもしれません。

業績が好調であったころ、知人から「配当はなるべく出さないほうが自社の株価は低く抑えられ、相続対策にもなる」と教えられていたようです。創業以来多くの配当は出していませんでしたが、最近は赤字続きであったこともあり、無配を継続していました。

父の急逝後、税理士に会社の株価の算定を依頼しました。しばらく赤字続きであったため、株価もそれほど高くならないと思っていました。

ところが、税理士からの報告を聞き驚きました。「比準要素１の会社に該当し、高額な株価になっています。少しでも配当を出し続けていれば良か

ったのですが」と言われ、無配が原因で株価が上がってしまったことを知りました。

●類似業種比準価額の計算

配当、利益、純資産のうち２要素がゼロとなると、「比準要素１の会社」に該当

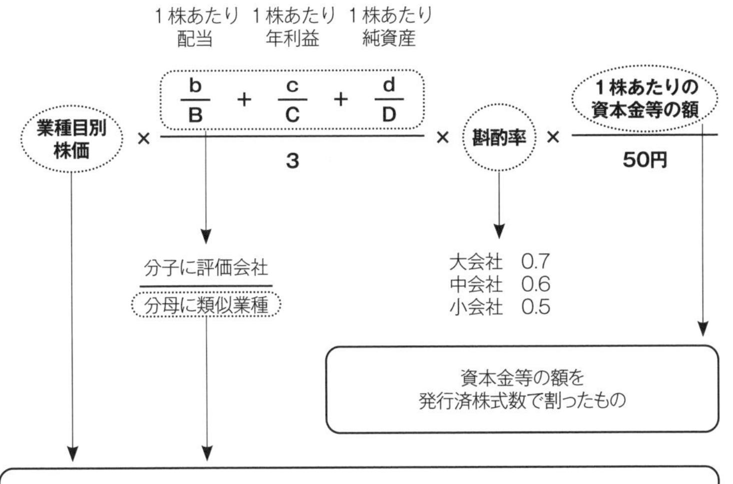

赤字続きのところに無配も継続していたため、「比準要素１の会社」に該当してしまった。

非上場株式の評価のうち「類似業種比準価額」は、該当会社の「配当」、「利益」、「純資産」の３要素により評価する。

つまり、この３要素が低くなれば株価も下がることになる。「利益」と「純資産」は簡単にはコントロールできないが、「配当」は会社の判断のみで決定することができる。

そこで、株価を低く抑えるためにも、利益が出ても配当をせずにあえて無配を継続するケースはよくある。

ただし「比準要素１の会社」に該当してしまう場合には注意が必要。

本事例では、無配を継続したために、かえって高株価になってしまった。

[ポイント解説]

非上場株式の評価にあたっては、類似する上場会社の株価に比準させた「類似業種比準価額」と会社の「純資産価額」を基に計算します。一般的に、新興の高収益企業は類似業種比準価額が高くなり、業歴が長く内部留保の厚い企業は純資産価額が高くなる傾向にあります。

会社規模（従業員数、総資産価額、取引金額）により、類似業種比準価額と純資産価額の混合評価または純資産価額のいずれか低い株価を採用します。この混合評価する際の類似業種比準価額の割合は、大会社で100%（純資産価額の割合は０%）、小会社で50%（純資産価額の割合も50%）など会社規模に応じて異なります。ただし、比準要素１の会社に該当してしまった場合は、類似業種比準価額の割合が25%、残り75%は純資産価額を採用しなくてはならなくなります。

本事例のケースでは、会社規模「中会社の小」であったため類似業種比準価額：純資産価額=60%：40%を採用できたのですが、比準要素１の会社に該当してしまったために類似業種比準価額：純資産価額=25%：75%となってしまったのです。

自社の会社規模はどの程度か、自社の類似業種比準価額と純資産価額はどの程度か、といったことは毎年確認しておき、比準要素１の会社にならない配当政策も検討しておきたいところです。

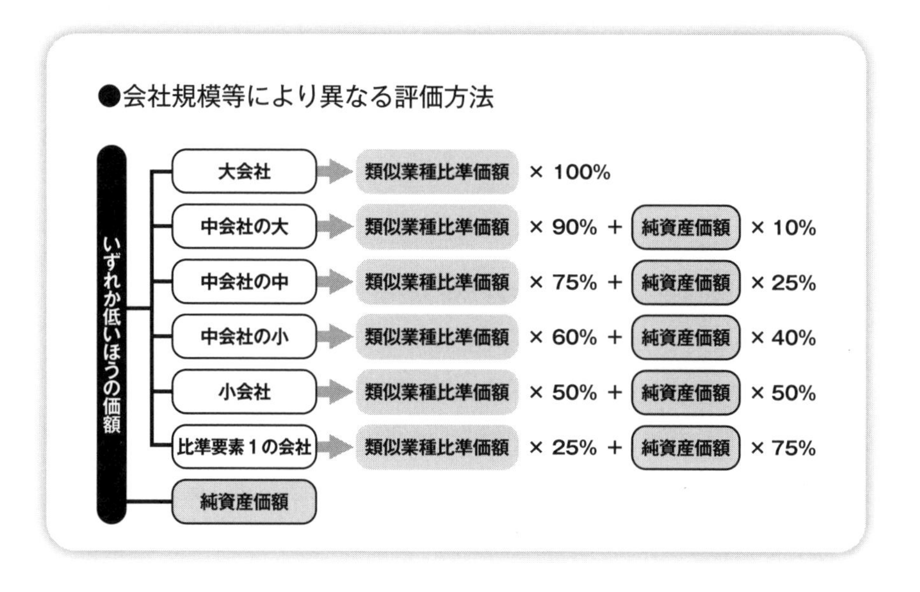

事例 42

同族会社に対する貸付金を相続財産と気付かず失敗

私はシステム開発業を営む法人の代表取締役です。設立当初は好調だったもののITバブル後の急速な業績の落ち込みにより、従業員の給料の支払いにも苦労するようになってしまいました。お恥ずかしいお話ですが、そんな時に父が「他人様に不義理をしてはいけない」と、祖父から相続したお金を会社に送金してくれたため、未払給与や滞納公租公課、銀行借入を一掃することができ、倒産の危機を乗り切ることができました。

危機を脱した会社は、3年ほど前からは落ち着きを取り戻して、ここ2年間は僅かながら利益が出ました。大きな利益が出たら父に報告したいと思っていたのですが、実は半年前に父が脳梗塞で急に他界しました。私の事業失敗に伴う穴埋めのため、父には僅かな預金しか残っていないことから相続税の心配はしていなかったのですが、年に一度会社の申告をお願いしている税理士に尋ねて

みたところ、父が会社に送金してくれたお金は、貸付金として相続財産の対象になり、また金額も少額でないことから、相続税がかかると言われ、やむなく相続税の申告・納税をすることになってしまいました。

<父の財産と相続財産の範囲>

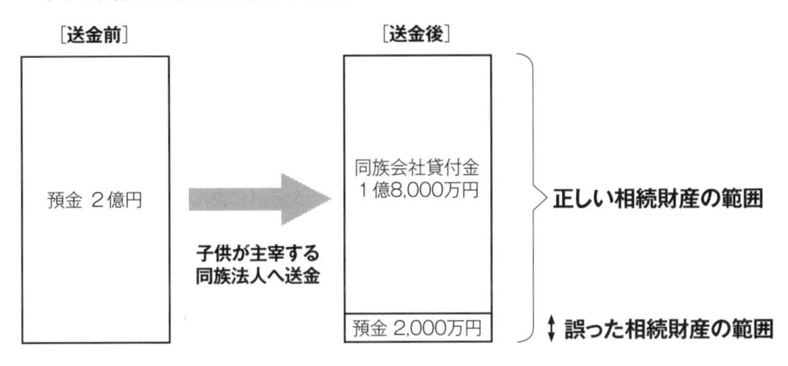

1. 同族会社に対するものも含め、貸付金は相続財産として相続税の課税対象に含まれることを知らなかった。
2. 同族会社に対する貸付金については、一定の手続きを経て株式(出資)に切り替えること(デットエクイティスワップ)ができ、その結果として相続財産が減少することがあるが、その検討を行っていなかった。

[ポイント解説]

1. 相続財産の範囲と貸付金について

本事例のように、金融機関に融資を断られ資金繰りに窮して倒産の危機に陥った際に、両親に資金を拠出してもらっているケースは珍しくありません。また資金の出し方としては、危機に瀕しているわけですから、株主総会を開いて、株主に通知してといった増資手続きを経ることは時間的に難しく、単に送金したままになっているケースが多いように思われます。そして、送金された資金は事例のように未払金の支払いに使用されたり、なんらかの資産の購入に充てられたりして現金から形を変えるケースがほとんどで、「現金がなくなる」ことをもって、両親の財産から消えてしまったかのように誤認される方が少なくありませんが、「同族会社への貸付金」に変わっただけで、両親の財産は減少しないことになり、相続発生時には相続財産の範囲に含まれることとなります。

2. デットエクイティスワップとは?

同族会社への貸付金は相続税の課税対象になる一方、容易に換金することができないため、非常に厄介な存在であるといえます。そこで生前の対策として、「同族会社に対する貸付金」を「同族会社の株式」と交換するデットエクイティスワップ(略称DES)を検討される方が増えています。通常は出資時に株式と現金を交換するのに対し、デットエクイティスワップは株式と債権を交換する点に特徴があります。

債権と交換した同族会社株式は換金性が乏しいことについては債権と同じですが、相続税の計算上、債権は原則として額面価額で評価されるのに対し、株式は大まかにいうと配当、利益及び純資産に応じて評価されるため、業績の芳しくない企業においては、多くの場合評価が引き下がります。

しかし、本事例のケースであれば子供の立場から父に貸付金を出資に交換して欲しいと頼むことは、心情的に容易なことではありません。出してくれたお金を返すことができないと打ち明けるのに近いためです。そのため、資金を拠出した両親の側から、ご子息様やご息女様に提案することが重要となります。

ただし、手続きが煩雑で具体的に債権から株式に振り替えた場合の効果についても検討する必要があり、またケースによっては法人に債務消滅益が生じて思わぬ納税が生じる可能性がありますので、税理士等の専門家とよくご相談いただいた上で、慎重に実行されることをお勧めいたします。

事例 43

申告書上の株主欄（別表２）を信じて失敗

数年前に会社を経営する父が亡くなり、急遽父の会社を継ぐことになりました。父から株を承継するには、少なくない税金がかかるかと覚悟していましたが、会社の申告書に添付されていた株主名簿（別表２）を確認すると、父の名前は見当たらず、私が約70%を保有する筆頭株主になっており驚きました。不思議に思って経理部長に聞いてみると、父は株式承継の税負担を軽減しようと、贈与税の発生しない110万円の枠内で株式を移していたとのことでした（額面金額が５万円であったため、毎年22株ずつ贈与）。

あらためて父の遺した財産を整理すると、自宅と預金1,000万円程度であったため、相続税の申告の必要はないだろうと思っていました。ところが最近になって実施された税務調査では、自宅に来た調査官から、

・株式の贈与契約書がなく、必要な贈与税の申告手続きを行っていない

・過去の株主総会決議での決議事項について答え

られない

といった点が指摘・質問されました。その結果、私が保有していたことになっていた株式については「名義株」というものに該当し、父の相続税の計算上考慮すべきであるとの指摘を受け、高額な相続税とペナルティにあたる加算税を支払うことになってしまいました。

贈与は、贈与者と受贈者の意思が合致して成立するが、それを示す贈与契約書や会社の議事録がなく、また、必要な贈与税の申告手続きを行っていなかった。

［ポイント解説］

1.「名義株」とは

「名義株」は聞きなれない言葉ですが、名義の借用等により株主名簿上の株主と実質的な株主が異なる株式のことをいいます。相続税の税務調査で問題になるのは、相続税の計算にあたり、株主名簿上に被相続人の名前が見当たらない場合でも、実質的な株主が被相続人である場合には、相続財産に含めて申告する必要があるためです。今回の失敗事例では、株主名簿上では「私」が株主になっていたものの、実質的な株主はオーナー社長であった「父」であったと考えられるため、本来相続財産に含めて申告が必要だったにもかかわらず、法人税申告書別表２に記載された株主をみて申告不要と判断したことから、税務調査において問題になりました。

2.「名義株」と誤認されないために

贈与を受けた株式について名義株と誤認されないためには、例えば下記の点に注意し、税務調査時に自身が実質的な株主であることを説明できるようにしておく必要があります。

・贈与時に贈与株式数を記載した贈与契約書を作成して各々署名・捺印するとともに、贈与株式に係る相続税評価額の計算を行い、必要に応じて贈与税申告を行う。

・株主総会に参加または委任状を提出すること等により株主としての権利を行使する。

・配当が生じた際には受贈者が管理する口座に入金し、必要に応じて確定申告を行う。

判定基準となる株主等の株式数等の明細

順位 株式数等	順位 議決権数	判定基準となる株主(社員)及び同族関係者 住所又は所在地	氏名又は法人名	判定基準となる株主等との続柄	被支配会社でない法人株主等 株式数又は出資の金額 19	被支配会社でない法人株主等 議決権の数 20	その他の株主等 株式数又は出資の金額 21	その他の株主等 議決権の数 22
1		東京都新宿区●●町3-2-1	本郷 太郎	本人			730	
1		〃	本郷 徹郎	弟			170	

事例44

株式を分散しすぎて失敗

私は、卸売業を営むC社を父から引き継いだ２代目です。C社の自社株は、父の死亡を機に私が相続しています。ところが、その時の父のシェアは約30%程度しかなく、生前父は、相続税対策のために私をはじめ、弟や妹、それぞれ２人の孫を合わせて計９人に対して毎年贈与を行ってきた結果で、それぞれの家族が均等に20%ずつ保有しトータルで60%を占めていました。残りの10%は創業時からの会社の元役員や一部取引先にも自社株を渡していまして、その人数は30人ほどに渡ってしまっています。

弟や妹は、父の相続の時に、自社株が高額で評価されていることを認識してからは自分たちが株主であることへの意識が芽生え、弟は決算書の閲覧を求めてきたり、株主総会でも反対意見を言うようになっています。また、妹は自分の子を医大に行かせるための資金を作るために、自社株を高額で買い取ってもらいたいと主張し始めてきて、一部をC社で金庫株により買い取りを行いました。ところが、金庫株で買い取る際は、妹以外の元役員や一部取引先などの他の株主へ対しても買取価格の通知が必要であったようで、妹からC社が高額で買い取ることを知った元役員が、こんなに高い価格で買い取ってもらえるなら自分もと次々と手を上げてきてしまいました。分散した結果、父の相続税は一時的に抑えることができたかもしれませんが、高額で買い取りを要求されるのであれば、それ以上のコストですし、一度分散した株を買い集めるには、相手あっての話なのでとても苦労しています。

1. 先代で株式を分散してしまった結果、後継者の経営の意思決定を思いどおりに反映させることが難しくなってしまい、株式の買い集めに労力を費やさねばならなくなった。
2. 親族からの株の買い取りは、売り手も買い手も相続税評価額（原則的評価額）から、場合によっては時価での買い取りが民事的にも税務上も想定されるケースが多い。
3. 少数株主から高額での買取請求があると、必ずしも配当還元価額とはいかず、会社の純資産の価額を基準に要求されることもあることや、さら

に、金庫株により自社が株を買い取る場合は、全株主にその価格を通知しなければならないこと。

［ポイント解説］

株式の分散は、事業承継における問題の１つです。オーナーの相続税対策として、一時的にはよくても、後々、後継者の世代で様々な問題が生じてくることが多く、後継者は分散した株式を買い集めることで非常に苦労しているというケースの相談をよく受けます。

分散させた際の主な問題点としては、以下のとおりです。

1. 経営の安定化が阻まれること

株式が分散することにより、議決権が分散してしまいますので、後継者の意思決定が阻まれ、経営の安定化を図ることができません。後継者の経営権安定化のためには、少なくとも普通議決権の２分の１超を確保、できれば特別議決権の３分の２以上を確保していく必要があります。さらに、社外株主については特別決議に対して拒否できないよう議決権の３分の１超を保有させないよう配慮して後継者への承継を行っていく必要があります。また、少数株主でもある程度強い権利を持っています。例えば、１株以上で株主代表訴訟提起権があり、３%以上で帳簿謄写閲覧権があります。

ところで、分散した相手に相続が起きるとさらにその次の世代の相続人に株式が自然承継されていってしまいます。長年放っておいてしまうと連絡が取れない株主が出てくることもあり、結果、株式を買い集めようにも収拾がつかなくなるようなケースもよくありますので、早急に対応しなくてはなりません。

2. 株式の高額買取を要求されること

結局は買い取ることができたとしてもその価額が問題となります。親族から要求される場合もそうですが、株主によっては、他人になればなるほど会社には関係ありませんので、ドライに考えて高額な価格で買い取りを要求してくるケースもあるでしょう。会社の定款上、好ましくない株主に株式が相続される場合、会社が強制的に買い取る旨の規定(「相続人等に対する売り渡し請求」)を設けることもできますが、そもそもこの規定を設けるためには、定款変更にあたるため、株主総会の特別決議が必要です。仮に設けることができたとしても結局は相手あっての話なので買取価格の問題は最後まで付きまといます。他にも株式併合や種類株式を活用した強制買取の方法もありますが、どれも買取価格の問題は残りますので、専門家を交えあらゆる策を講じながら慎重に進めていく必要があります。時間と手間を要しますので、自社株は極力分散しないよう承継を進めていく必要があります。

少数の議決権であっても強い権利があります。

持株比率	株主の主な権利
1株以上	●議決権　●利益配当請求権 ●残余財産請求権　●株主代表訴訟提起権
1％以上	●総会提案権
3％以上	●総会招集権　**●帳簿謄写閲覧権**
10％以上	●解散請求権
1／3超	●株主総会**特別決議の否決（拒否権）**
1／2 超	●株主総会**普通決議の可決** 取締役・監査役の選任等
2／3以上	●株主総会**特別決議の可決** 取締役・監査役の即時解任、定款変更、合併、株式交換、株式移転、金庫株、会社分割、第三者割当増資等

経営の安定化のために

最低でも議決権の1／2超を確保。
目指すは議決権の2／3以上を確保すること。
さらに、社外株主に議決権の1／3超を保有させていないこと。

事例45

納税猶予を選択して失敗

私は機械修理業を営むＤ社の代表取締役です。Ｄ社の自社株は２年前に先代の父から相続により譲り受けました。当時は、好業績を背景にＤ社の株価は上昇を続けていましたので、顧問税理士から相続税の試算結果の報告を受け、予想外の納税額に言葉を失いましたが同時に相続税の納税猶予制度の説明を受けました。一旦自社株を承継し法人に株式を譲渡して納税資金を工面する方法もあると聞かされましたが、自社株にかかる相続税が全額猶予されるという点に大きなメリットを感じ、私は同制度を利用して株式を承継することにしました。ところが、この度、資金的に余裕がないことからその株式の一部について譲渡しようと考え、顧問税理士に相談したところ、それでは猶予した相続税を払わなければならないと言われてしまいました。

1. 相続税の納税猶予制度は節税策として効果が大きいが、相続税の申告期限後５年間は特に厳しい要件が課されており、途中で要件を満たさなくなると、猶予された税額に利子をつけて納税が必要になるが、そのリスクを十分に検討していなかった。
2. 納税猶予を受けて株式を承継したが、自分に後継者が現れなかったりした場合等に、株式を外部売却すると猶予が取り消される点を、十分理解していなかった。

[ポイント解説]

1. 非上場株式等についての相続税の納税猶予制度とは?

後継者が相続等により先代経営者から非上場株式を取得し、その法人を経営する場合に、その株式等の３分の２までにかかる税額の80%相当額の納税を猶予する「非上場株式等についての相続税の納税猶予制度」は、平成21年度税制改正により導入された制度です。当初は、その株式等の３分の２まで80%相当額の納税を猶予する制度であり、また、雇用継続要件として納税猶予適用後５年間は、雇用の８割を維持しなければならないなど厳しい要件があり、実際に適用を受ける方の割合は僅かでした。ところが、経営者の高齢化が急速に進展している中、中小企業の事業承継が喫緊の課題であることから、平成30年度税制改正により大幅な緩和がなされ、10年間限定の特例措置が設けられました。特例措置の期間（平成30年1月1日から令和9年12月31日）における株式等の承継については、株式等の全額について納税が猶予され、なおかつ、一番のハードルであった雇用継続要件も事実上の撤廃の措置がなされています（なお、特例措置の適用を受けるためには、平成30年4月1日から令和5年3月31日の5年間に、「特例承継計画」を策定して、都道府県知事に提出し、確認を受ける必要があります）。ただし、引き続き、5年以内に自社株を一部でも譲渡した場合にはその猶予が全額取り消されることとなってしまうなど、途中で要件を満たさなくなると、猶予された税額に利子をつけて納税が必要になり、依然として事業継続に関する厳しい要件が付されています。相続後の資金の必要性については、生活資金や教育資金のほか、後継者の方にきょうだいがいて、後継者が自社株を相続する代わりの遺産分割資金として、一部の自社株を自社に買い取ってもらい資金化する必要がある場合など、様々な事情があるかと思います。このような可能性も見据えて納税猶予制度を受けるかどうかを判断する必要があるでしょう。

納税猶予制度は、適用がされれば非常に有利な制度ではありますが、制度を逆手にとって一時的に事業を実施し、相続後廃業することで租税回避されないよう、一定の場合には猶予を取り消して税額を一括徴収されることを忘れてはいけません。

2. 納税猶予が取り消される場合

相続税に係る自社株式の納税猶予制度は、相続により被相続人が経営していた事業を引き続き経営することを前提としています。そのため、会社経営の存続が危惧される行為を行った場合には、その猶予が取り消されてしまい、納税猶予されていた相続税の負担をしなければなりません。さらに、猶予された期間に対応する利子税の負担も求められることになりますので、適用を受ける際には注意が必要になります。

相続税の納税猶予制度の適用要件については、すでに数多くの書籍が出版されているためここでの詳説は避けますが、納税猶予の取消事由は、納税猶予の適用を受けた相続税の申告期限後５年以内と、５年経過後とでその要件が異なります。

【主な納税猶予の取消事由（特例措置）】

取消事由	申告期限後 ５年以内	申告期限後 ５年経過後
納税猶予制度の適用を受けた 自社株式について その一部を譲渡（※１）した場合	**全額取り消し**	**一部取り消し**
後継者が 会社の代表者でなくなった場合	**全額取り消し**	**納税猶予継続**
会社が資産管理会社（※２）に 該当した場合	**全額取り消し**	**全部取り消し**

※１　譲渡には贈与した場合やその他一定の場合を含みます。
また、業績悪化による譲渡や他の会社に吸収合併される場合等には、その時の株価で再計算される減免措置があります。

※２　資産管理会社とは、有価証券、自ら使用していない不動産、現金・預金等の特定の資産の保有割合が帳簿価額の総額の70%以上の会社やこれらの特定の資産からの運用収入が総収入金額の75%以上の会社など一定の会社をいいます。

（注）　雇用継続要件として、５年間平均で８割維持することについて未達の場合にも、理由を記載した書面を提出し、認定経営革新等支援機関の指導及び助言を受けることで、猶予は継続（事実上の撤廃）となります。

不動産

事例 46

部分的な遺言で小規模宅地等の特例が取れずに失敗

私の父は85歳で一昨年10月に亡くなりました。いろいろと相続関係を調べましたら、公正証書遺言を作成しており、その内容はA宅地を長男の私に遺贈する旨の内容となっていました。しかし、もう１つのB宅地のほうはその遺言には何も書かれていませんでした。つまり未分割の状態でした。このA宅地は私のクリニックの敷地として利用しており、またこのB宅地はアパートの敷地となっています。

相続人は私以外に弟と妹の３人です。相続財産はこのA宅地が一番評価が高く、弟と妹とは遺産分けで揉めていて今調停中です。遺産分割の話し合いの最中ではありますが、申告期限も迫ってきており、また、A宅地から特定事業用宅地の減額が一番大きな金額となるので、他の相続人とは利害が一致していると考えて、他の相続人の同意を取らないでこのA宅地から小規模宅地等の特例を

適用した相続税申告書を税務署に提出しました。

その申告書を出してから１年後に税務調査が行われました。その時の税務署の話では、相続人全員の同意がないので小規模宅地等の特例は受けられないと言われました。その話に納得できなかったので修正申告はしませんと伝えたら、その特例適用を否認する更正処分をされてしまいました。

●小規模宅地等の特例のポイント

キーワード＝ 分割 かつ 合意

①**分割取得**…遺産分割で取得または遺言で取得。

②**合意**………小規模宅地適用対象地が複数（A土地、B土地、C土地）ある場合には、その適用対象地取得者とどの土地から何平米適用するかの話し合いをして合意する必要あり。

1. 中途半端な遺言があり遺産分割の話し合いの最中に申告期限が来てしまった。
2. A宅地から適用することで最も大きな減額がとれるので、他の相続人の同意なしにこのA宅地から特例適用をする旨の相続税申告書を提出してしまった。
3. 修正申告をしなかったので更正処分を受けてしまった。

[ポイント解説]

1. 小規模宅地等の特例は分割かつ合意が必要

小規模宅地等の特例の適用を受ける場合のキーワードは、「分割」かつ「合意」です。つまり誰が取得するかが決まっていなければならないことと、どの宅地からどのくらい（何平米）適用するかの合意が必要ということです。

①分割とは

分割とは誰が相続で取得するかということです。例えば遺産分割協議で取得したり、また、遺言で○○に相続させると書いておいてもらう（遺贈）ことです。

②合意とは

相続等でその取得が決まってもまだ十分ではありません。それは、適用対象地が複数あった場合には、その複数の土地を相続取得した相続人と話し合いをして、どの宅地からどのくらい（何平米）適用するかの合意が必要となるからです。

例えば、適用対象地が、X宅地（特定居住用対象地）、Y宅地（特定事業用対象地）、Z宅地（貸付用対象地）の３つあったとします。このX宅地は長男が取得し、Y宅地は二男が相続し、Z宅地は三男が相続したとします。この場合には、長男と二男と三男の３人でどの宅地から何平米を適用するかの合意が必要となります。

2. なぜこうなったか

本事例のケースは、A宅地とB宅地の両方が適用条件を満たす宅地でありました。まず、A宅地は遺言で長男が取得することが決まっています。

問題はB宅地です。このB宅地については遺言はありませんでしたので、基本的には相続人の話し合いで誰が取得するか決める必要があります。当然決まるまでは相続人全員の共有でありますので、この場合には長男は早急に他の相続人と話し合いをして誰がこのB宅地を相続するかを遺産分割協議で決めなければなりません。その上でB宅地を取得する相続人とどの土地から何平米を適用するかの話し合いが必要となります。

今回そういう意味で、A宅地とB宅地のいずれから何平米適用するかの、相続人全員の「分割」かつ「合意」が必要であったわけです。

3. どうすれば良かったか

ではどうすれば良かったかですが、以下の２つの方法が考えられます。

①A宅地を未分割財産ということにして、「３年以内の分割見込書」を提出し、原則３年以内に遺産分割が終わった後に更正の請求により小規模宅地等の特例を適用する。

②税務調査が行われて更正処分を受ける前に、自主的に修正申告書と「３年以内の分割見込書」を提出し、原則３年以内に遺産分割が終わった後、更正の請求により小規模宅地等の特例を適用する。

このようにすれば小規模宅地等の特例が受けられたと考えられます。

中途半端な遺言書によって、小規模宅地等の特例が受けられない場合がありますので十分注意してください。

事例 47

夫の土地の上に妻が建物を建てて失敗

私の夫は、自宅以外にも不動産を多数所有しており、そのうち空き地だった土地の上に、私名義でアパートを建築しました。建築費用については、自己資金のほか借入金により賄っており、まだ借入残高が残っています。また、土地については、夫婦の間なので、無償で使用させてもらうことにしました。私は、アパートの家賃収入が入るようになり、毎年不動産所得を確定申告しています。

先日夫が亡くなり、夫の相続税申告について、税理士に依頼しました。税理士から、アパートの敷地については、貸家建付地の減額がなく、更地と同じ評価額１億円であると説明を受けました。なお、私所有のアパートの固定資産税評価額は2,000万円、借入金残高は3,500万円です。以前、アパートの敷地については、貸家建付地の減額がとれるので相続税が少なくなる、と人から聞いたことがあったので、おかしいと思いました。ところが、税理士に、アパートが私名義、土地が夫名義で、土地を無償で私が使用しているから、貸家

建付地の減額はできないと言われてしまいました。こんなことなら、夫名義で建てておけば良かったと、悔やまれてなりません。

＜土地とアパートの両方が夫名義である場合＞

土地	1億円×（1－0.7×0.3）＝**7,900万円** ※借地権割合0.7　借家権割合0.3　と仮定
アパート	2,000万円×（1－0.3）＝**1,400万円**
借入金	**▲3,500万円**
夫の相続財産	**5,800万円**　　⇦　相続税の課税対象

＜土地が夫名義、アパートが妻名義である場合＞

土地	**1億円**
アパート	**0円**
借入金	**0円**
夫の相続財産	**1億円**　　⇦　相続税の課税対象

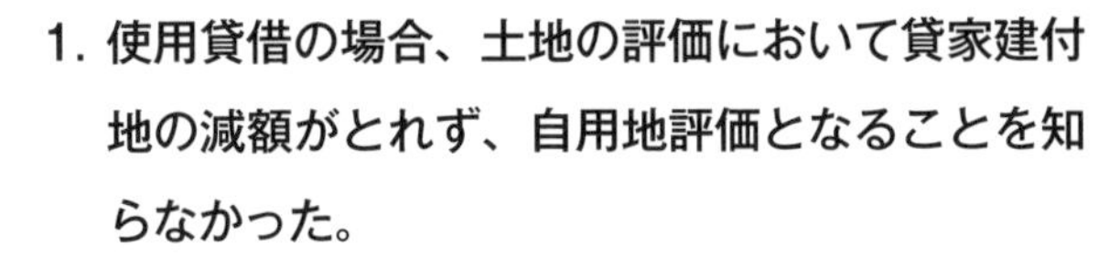

1. 使用貸借の場合、土地の評価において貸家建付地の減額がとれず、自用地評価となることを知らなかった。
2. 妻名義で安易に建築してしまったため、アパートに係る借入金を、夫の相続税計算上、債務控除することができなかった。
3. 夫が建物を建てて、不動産管理会社へ貸す方法も検討すべきだった。

［ポイント解説］

1．土地の利用状況により評価が違う

相続税の計算においては、土地は、路線価方式または倍率方式により評価します。貸地やアパート敷地など、賃貸している場合には、評価額が減額されます。

＜土地の評価＞

自宅、別荘地	自用地価額（100%評価）
（貸家建付地） アパート、貸店舗などの敷地	自用地価額×（１－借地権割合×借家権割合）
貸地	自用地価額×（１－借地権割合）

上記のとおり、土地の用途により、評価が変わります。最も評価額が低くなるのが、貸地です。一般的に地代は低く設定されている場合が多く、土地の上に他人の建物が建っていますから、土地の利用価値が低いことが相続税評価額にも反映されている、といえるでしょう。また、使用貸借は、親族間などで無償で貸し借りするため、相続税評価は借地人の権利を考慮せず、自用地評価となっています。

2．被相続人の債務となるか否か

相続税を計算する時は、財産を計上するだけではなく、亡くなった人の債務や葬式費用を相続人が負担した場合には、その金額を控除することができます。債務の具体例としては、亡くなった人が不動産貸付業を営んでいた場合には、賃貸物件に係る借入金、預かり敷金・保証金、未払の固定資産税・所得税などが挙げられます。

本事例の場合には、アパートの所有者は妻なので、夫の相続税を計算する時には、アパートの借入金や敷金を控除することはできないことになります。

3. 不動産管理会社も一考

アパート経営をしている方の中には、不動産管理会社を活用している方もいらっしゃいます。

例えば、夫が土地と建物を所有している場合に、妻や子供が出資して不動産管理会社を設立して、その会社の役員に就任します。不動産管理会社には、会社が物件の維持・管理をして夫から手数料を受け取る「管理委託方式」や、会社が夫から物件を一括借上げして、テナントへ転貸する「サブリース方式」などがあります。

会社には手数料収入または家賃収入が入り、そこから妻や子供に役員報酬を払うこともできます。本事例では、建物を妻所有にして、妻に家賃収入が入るようにしていますが、不動産管理会社を活用して、妻が会社から給与をもらう方法にしたほうが良かったかもしれません。

事例 48

親族間でも借地権があると知らず失敗

10年前の父の相続で土地は母が相続し、建物は長男の私が相続しました。その時に私は土地をタダで借りるのは申し訳ないので付近相場の通常の地代を母に支払うことに決めました。それ以来10年間、私は不動産所得の申告の中で母への支払地代を経費に計上して、一方の母はその地代収入を確定申告して不動産所得の申告をしてきました。今回、母が亡くなり相続税の申告書を税理士に依頼しました。申告書ができ上がってきたので、その内容を確認しました。私所有の建物が建っている土地は路線価が高いところなのでかなりの高い更地評価額となりました。したがいまして、相続税もかなり大きな金額で申告書を出し納付しました。

相続税の申告書を出してから、なんとなく腑に落ちないので昔からの親友に相談したら、資産税に詳しい税理士さんがいて、無料で相談に乗って

くれると聞きすぐに相談に行きました。

その税理士さん曰く、親族間でも借地権が存在することは有り得ることで、特に私の場合は地代を支払う私とそれを受け取る母親も確定申告しているので、両者ともに税務署に提出していて裏腹の関係にあります。このような場合は、本当であれば10年前に借地権が母から私に贈与されたと認定されて贈与税課税がおきていたわけですが、今はもう時効で贈与税の課税はありません。

したがいまして、その土地の評価は更地価額から借地権を控除した底地が相続財産となります。つまり、母の相続財産は更地価額ではなく底地価額での申告でよかったわけです。すぐにその税理士さんに依頼して更正の請求をして税金が還付されました。

【誤った理解】

親子間で土地の貸し借りをする場合には、地代のやり取りをしない使用貸借が一般的です。仮に付近相場の地代を支払っていたとしても、親子で借地権をあげるような認識がないので借地権は発生しません。借地権が発生するのは他人の場合だけです。

【正しい理解】

親子間といえども付近相場の地代を支払っていれば借地権は発生します。本事例のように、地代を支払っている方は確定申告の中で経費として計上して、また受け取る方は地代収入として不動産所得の申告をしているケースでは借地権が発生して存在すると考えられます。

1. 親子間の土地の貸し借りは、先入観から使用貸借が一般的と認識していた。
2. 地代のやり取りをしていても、親子間では借地権は発生しないと思い込んでいた。

[ポイント解説]

1. 親族間は使用貸借が常識ですか?

親子間の土地貸し借りは一般的には使用貸借であると考えられています。それは地代の支払いがないことからそのように考えられています。しかし、親子間であってもたまに地代のやり取りをする場合があります。この場合にはその収受する金額にもよりますが、借地権が存在するケースもあります。

他人である第三者との土地の貸し借りの場合にしか借地権は発生しないと考えていて、親子等の親族間では使用貸借しかないと考えている人もたくさんいます。しかし、他人である第三者との賃貸借のみに借地権が発生するわけではありません。建物所有者と土地所有者の貸借の実態が賃貸借であれば親子間でも借地権は発生するのです。

2. 使用貸借と賃貸借の違い

相続税における使用貸借と賃貸借との違いはどうなっているのでしょうか。相続税の個別通達の中に「使用貸借に係る土地についての相続税及び贈与税の取扱いについて」という項目があり、その中には土地の借受者と所有者との間にその土地の固定資産税等に相当する金額以下の地代収受がある場合には使用貸借とされます、となっています。ということは、逆に固定資産税等の２倍から３倍を支払えば賃貸借となるわけです。

3. 他の類似事例

被相続人とその子供との間の土地の使用貸借契約は、宅地転用前に解除されており、その後の土地の賃貸借契約における賃貸人は被相続人であるから相続開始時には建物の所有を目的とする賃借権が存在するものと認められるとされたケースがあります(平成15年５月19日裁決)。

また、親子間における賃貸借が、他人間における賃貸借では通常有り得ない条件及び内容等によってなされた事実があったとしても、そのことから直ちにその賃貸借契約の成立が否定されるものではないとして借地権の存在が認められたケースもあります(平成８年６月24日裁決)。

さらに賃貸借か使用貸借かの差は地代の支払いがあるかどうかによって判断され、賃貸借契約書がなく地代の算定根拠が明確でないことをもって、直ちに本件宅地の使用関係が無償による使用貸借であるとする論拠とはならないとして借地権を認められるケースもあります(昭和49年７月30日裁決)。

事例 49

敷地内別居で小規模が使えず失敗

私の夫は代々地主で自宅敷地が広いので、息子が結婚したのを機に、同じ敷地内に、息子家族の自宅を建てて住まわせています。土地は無償で貸すことにして、建物は息子が自己資金と銀行借入により建てました。私たちと息子は別々の生計です。

夫がこの度亡くなりましたが、息子の自宅部分も含め、自宅土地は、妻である私が全て取得しました。また、私と夫が住んでいた自宅建物も、私が取得しています。

私は、自宅について小規模宅地等の特例の適用や配偶者の税額軽減の適用もあり、相続税はゼロで済みましたが、今度私に相続が起きた場合に、息子はいくら相続税を負担するのか心配になり、税理士に相談しました。

自宅については相続税の負担が軽くなると聞いたことがありましたが、税理士に確認したところ、現状では、自宅土地に適用できる小規模宅地等の特例が適用できないことがわかりました。私が住

んでいる自宅部分も、息子の自宅部分も、両方とも適用できないそうです。息子は同じ敷地内に住んでいるのに、小規模宅地等の特例が使えないとは思ってもみませんでした。

＜事例のケース＞

母自宅 （母所有）	**息子自宅** （息子所有）
母自宅部分の敷地 （母所有）	**息子自宅部分の敷地** （母所有）
小規模適用　× （息子は別居で持ち家ありのため）	**小規模適用　×** （生計が一でないため）

1. 同じ敷地内であっても、別棟に住んでいるので、小規模宅地等の特例では「同居親族」にならず、同居の意味を間違って捉えていた。
2. 息子は自己所有の自宅があることから、「3年内家なき子」に該当しないため、小規模宅地等の特例が受けられないことを知らなかった。

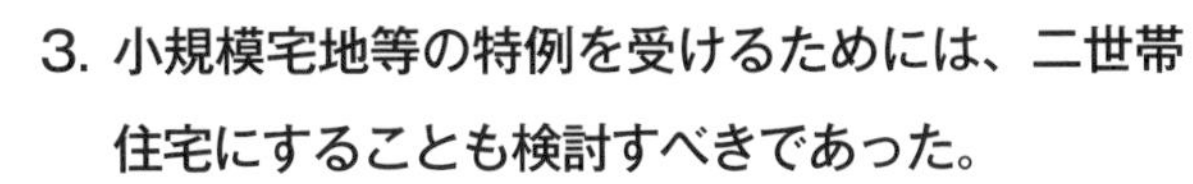

3. 小規模宅地等の特例を受けるためには、二世帯住宅にすることも検討すべきであった。

[ポイント解説]

1. 小規模宅地等の特例の概要

相続により自宅敷地を取得した場合に、「小規模宅地等の特例」という、一定の要件を満たすと、自宅敷地のうち330平米まで評価額が80%減額される特例の適用を受けることができます。配偶者であれば、ほぼ無条件に受けられますが、子供が取得する場合には、この特例を受けられないことがしばしば見受けられます。誰が敷地を相続したかにより、下記のように要件が決められています。

<小規模宅地等の特例(自宅敷地を取得した場合)の要件>

宅地等の取得者	適用要件
配偶者	無条件に特定居住用宅地等に該当する
同居親族	・被相続人と相続開始直前まで同居し、かつ、申告期限まで保有し、居住している人
生計一親族	・被相続人と生計を一にする親族で、かつ、申告期限まで保有し、居住している人
3年内家なき子	・被相続人には配偶者または同居の法定相続人がいない ・相続開始前3年以内に相続人の家屋、及びその配偶者やその3親等内の親族等所有の家屋に居住していない ・相続開始時に、相続人が居住している家屋を相続開始前のいずれの時においても所有していたことがない ・申告期限までその宅地等を保有している人

(注) 上記のほか、遺産分割協議が成立すること、添付書類とともに申告書を提出することなど、取得者にかかわらず、共通の要件もあります。

本事例では、同じ敷地内であっても、別棟に子供が住んでいるので、同居親族とはいえません。また、生計を1つにしていたわけではないので、生計一親族にも該当しないため、どちらも要件を満たしません。

2.「3年内家なき子」の検討

上記1を踏まえると、あとは「3年内家なき子」に該当するかどうかがポイントです。本事例では、息子が自分で家を建てて住んでいるので、「3年内家なき子」の要件も満たすことができません。もし、父が息子の自宅を建ててあげて、それも含めて母が相続していたとしても、平成30年度税制改正により3年内家なき子の要件が厳格化されたため、適用を受けることができなくなりました。

3. 二次相続は要注意

一般的に、二次相続のほうが税負担が重くなる傾向にありますから、母の二次相続時に、小規模宅地等の特例により80%減額がとれないことは大きな影響があります。平成26年より、区分登記していなければ、完全分離型の二世帯住宅についても特例の対象となったので、二世帯住宅も検討に入れるべきでしょう。

事例 50

不動産を共有して失敗

父が10年ほど前に亡くなった際、私たちきょうだい３人と母で遺産分割を行いました。家族円満だったため、皆で平等に財産を分けることになりました。不動産がたくさんあったこともあり、誰がどの不動産を取得するか決めるのは大変そうでした。そんな時弁護士の無料相談を受けたところ、家族円満であれば「共有」で取得すればよいのではとアドバイスを受け、全ての不動産を母２分の1、きょうだい各６分の１として共有で相続しました。不動産の実勢価額は路線価を基準とした相続税評価額と大きく乖離しているケースも多く、また収益性もまちまちであったため、「共有」で取得することによって平等な相続をすることができ、家族全員満足をしていました。

ところが、時間の経過とともに家族の経済環境は変わってきます。ある日、二男である弟が不動産を一部売りたいと言ってきました。弟の子供が海外留学をするためまとまった資金が必要とのことです。この不動産は収益性が良く、二男以外は手放したくありませんでしたが、弟の持分を私たちが買い取ることも難しく、結局家族全員で売却することになりました。

また、不動産は古くなると大規模修繕にかなりの費用がかかります。共有物件の場合には、この費用は共有者が共有持分にしたがって負担します。二男はこの大規模修繕の負担ができず、現在母が立て替え払いをしています。

そんな母も最近物忘れが激しくなり、認知症を疑うことも多くなりました。認知症になってしまうと不動産の売却行為はできないため、全不動産の共有持分を母が持っている状況では、今後第三者へ売却も厳しくなってきそうです。

評価的には確実に平等となる「共有」での相続でしたが、今では不便さを多く感じるようになってきました。

○共有にすると評価額は平等になるが…

★売却するには

→　不動産の全部を売るには全員の同意が必要
（１人でも反対したら売れない）
自分の持分のみは売れるが、買い手を見つけるのは難しい

★大規模修繕をしたら

→　持分に応じて各自コスト負担
（支出できない共有者がいたら、誰かが立て替える必要あり）

平等な相続を意識するあまり、一次相続で安易に不動産を共有取得したことが失敗。不動産を共有にするときっちり平等にすることはできるが、その後が大変で、特にきょうだいでの共有は要注意。親子間の共有であれば、次の相続で親の持分を取得することによって単有名義にすることができるが、きょうだい間の共有ではそのようにはいかず、将来的にきょうだいの相続等により、関係者がどんどん増えていくので、早めの対応が必要。

[ポイント解説]

共有を解消する方法としては、①全員で第三者へ売却、②共有物分割（土地を分筆して分ける方法)、③等価交換が考えられます。いずれのケースも共有者全員の同意が必要です。不動産を一族外へ流出させたくない場合は②または③を検討しますが、②は土地の地形等の関係で難しいことが多いのも実情です。この場合、要件を満たせば譲渡税がかからないように③で検討することとなります。ただし、流通税（登録免許税、不動産取得税）の負担はありますので、十分な検証が必要です。

○土地の等価交換による共有解消の一例

A土地		A土地		A土地
母		母		長男
長男		長男		
二男				
三男				

B土地		B土地		B土地
母	長男、二男、三男で等価交換	母	母の相続時にそれぞれ共有持分を取得	二男
長男		二男		
二男				
三男				

C土地		C土地		C土地
母		母		三男
長男		三男		
二男				
三男				

事例 51

住宅取得資金贈与を活用して、別居して失敗

私の父が所有する不動産は自宅だけです。自宅は世田谷区の閑静な住宅街にあり、広さも100坪ありますので、土地の評価額は１億円を超えると聞いていました。母は以前亡くなり、相続人は私１人です。

私は夫の仕事の都合もあり横浜で社宅住まいを続けていました。

子供も３人に増えたので社宅も手狭になってきたところ、社宅のほど近くで新築マンションの売り出しがありました。子供たちの学校の関係もあり、まだ横浜を離れるわけにはいかないと父に相談したところ、マンション購入資金を援助してくれることになりました。

父もちょうど、住宅取得資金の贈与について贈与税の特例があることを友人から聞いたところだったようで、非課税枠までは父の援助を受け、残りは夫が住宅ローンを組むことによってマイホー

ムを手に入れることができました。
　ところが、その直後に父が倒れて入院し、そのまま亡くなってしまいました。
　税理士に相続税の申告手続きを依頼したところ、父の自宅について小規模宅地等の特例が使えないと言われました。もし、私たち夫婦が社宅住まいのままであったならば、土地の評価額が80%減額されるけれど、マイホームを購入したため特例が受けられないというのです。
　１億円の土地に対する相続税の準備などしていなかったため、やむを得ず自宅を売ることにしましたが、残された大量の家財の処分もしなければならず、また、申告期限までに売れるかどうかを考えると夜も眠れません。

【小規模宅地等の特例による土地の評価減（マイホームの場合）】

被相続人（父）が居住していた自宅の土地100坪
……**評価額１億円**
（配偶者（母）は以前死亡、同居している親族はいない）
➡別居している長女が持ち家なし
……**評価額2,000万円**（80%減額）
➡別居している長女が持ち家あり……**評価額１億円**

1. 小規模宅地等の減額の特例は、別居の場合には持ち家があると使えないことを知らなかった。
2. 誰も住む見込みのない自宅については、売却について生前に検討しておくべきだった。

[ポイント解説]

1. 小規模宅地等の特例

我が国の相続税申告において、相続財産のうちに土地が占める割合は約半分です。したがって、土地をどのように相続するかというのが大きな課題といえます。

更地であれば、その処分における制限は少ないといえますが、事業で使っている土地や居住している土地などは生活のために必要不可欠な財産であるため、相続税の計算についても特例が設けられており、これを「小規模宅地等の特例」といいます。

例えば、被相続人の居住の用に供されていた土地については、330平米までの部分につき80%が減額されます。ただし、相続税の申告期限までに遺産分割が成立していることや、この特例の適用により相続税がかからなくなる場合であっても申告書を提出しなければならないなど、いくつかの適用要件があります。

なかでも相続人の要件は厳しく、そのマイホームを相続した相続人によっては特例が全く受けられない可能性がありますので注意が必要です。

例えばマイホームを配偶者が取得する場合には無条件で特例が適用されますが、配偶者以外の者が取得する場合には、原則として同居が条件となります。この場合の同居とは、相続開始前から同居していて、かつ、相続開始後も申告期限（10ヶ月後）までは継続して居住しなければなりません。

2. 別居の場合（3年内家なき子）

小規模宅地等の特例は、配偶者や同居している親族など、その土地を生活の基盤としている方についての相続税を軽減する制度ですので、別居している方には原則として特例の適用はありません。

ただし、次の要件全てに該当する場合、特例を適用することが可能です。

①被相続人（亡くなられた方）に配偶者がいないこと

②相続開始の直前において被相続人と同居していた法定相続人がいないこと

③その宅地を相続した相続人が、相続の開始3年前までに「自己または自己の配偶者」「自己の3親等内親族」「特別な関係にある法人」が所有する家屋に住んだことがないこと

④相続開始時において居住している家屋を過去に所有したことがないこと

⑤相続税の申告期限までその相続した宅地を所有していること

事例 52

確定申告をしていなくて失敗

私の父は、５年前に実家近くの駐車場を祖父から相続し会社からの給与の他に、駐車場収入がありました。駐車場の収入を確定申告しなければいけないのはわかっていたようですが、父は、金額も少額で、たいして儲かっていないからと、知らん顔をして全く申告していませんでした。

先日、父が亡くなりました。

相続税のことを自分で少し勉強し、父の所有していた駐車場はアスファルトやフェンスなどの構築物があるため、貸付事業用宅地等として200平米まで50%の減額があると考え、税理士へ相談したところ、父が営んでいた駐車場貸付事業の内容を確認し、その収入を遡って申告しなければならないと言われました。どうやら、50%の減額が認められるためには、相当な対価を得て継続的に賃貸されていることが必要であり、その点が無申告のため事実関係が不明瞭ということが理由のようでした。

駐車場についての貸付事業用宅地等の減額を認

めなければ大変なので、慌てて父の自宅へ行き、過去の駐車場賃貸関係の書類を探しました。管理会社へ管理等を委託していなかったため、契約書の有無が不明であったり、定期的な入金がない賃借人もおり、過去の内容を把握するのにかなりの時間がかかりましたが、申告期限直前に、近隣相場並みの賃料を継続的に受け取っていたことがわかり、なんとか貸付事業用宅地等の減額の要件を満たすことがわかりました。当然、父の確定申告は遡って行いました。父は駐車場収入が無申告だったため、思わぬところで加算税、延滞税を負担することになってしまいました。

1. 確定申告を行わないと貸付事業用宅地等の小規模宅地等の特例が適用できないことを知らなかった。
2. 確定申告を行わず、書類の保存もきちんと行っていなかったため、事実関係の確認が大変だった。
3. 安易に駐車場収入を無申告としてしまったため、加算税、延滞税を負担することになった。

［ポイント解説］

1. 貸付事業用宅地等とは

相続開始直前において被相続人の貸付事業の用に供されていた宅地等（※）を、次の要件全てに該当する被相続人の親族が相続または遺贈により取得した場合には、その宅地等は、貸付事業用宅地等に該当します。

※その相続の開始前３年以内に新たに貸付事業の用に供された宅地等のうち、相続開始前３年以内に新たに貸付事業の用に供された宅地等であっても、相続開始の日まで３年を超えて引き続き貸付事業を行っていた被相続人等のその貸付事業の用に供された宅地等については、３年以内貸付宅地等に該当しません。

【貸付事業用宅地等の要件】

区分	特例の適用要件	
被相続人の貸付事業の用に供されていた宅地等	**事業継続要件**	その宅地等を取得して被相続人の事業を承継した相続人が、相続税の申告期限まで事業を引き続き行っていること
	保有継続要件	その宅地等を取得して被相続人の事業を承継した相続人が、相続税の申告期限までその宅地等を保有し続けていること

なお、被相続人の生計一親族の貸付事業用に供されていた宅地等についても、その生計一親族が相続開始直前から相続税の申告期限まで、その宅地等に係る貸付事業を行い、かつ、その宅地等を相続税の申告期限まで保有し続けている場合には、貸付事業用宅地等に該当します。

また、事業継続要件について、不動産貸付業が事業的規模になっていない場合でも特例は認められますが、事業に準ずる規模の場合、通常の相場と認められる相当な対価を得て継続的に行うものでなければなりません。今回は特例の適用を受けられましたが、小規模宅地等の特例は複雑ですので、生前に一度税理士等の専門家に相談したほうがよいでしょう。

2. 決定等の期間制限

確定申告をしなければならない人が確定申告をしなかった場合には、税務署長は税務調査により所得金額や税額等を決定します。税務署長が所得税に係る決定を行うことができる期間は５年とされておりますが、偽りその他不正行為により所得税を免れた場合などは、確定申告書の提出期限から７年となっています。

安易に無申告とすると多額の加算税、延滞税だけでは済まないことになる可能性もありますので、適正な申告・納付を心がけましょう。

事例 53

墓地・仏壇で失敗

先日、私の夫が亡くなりました。夫は二男でしたが、もともと夫の実家は資産家で、長男ほどではないですが、先祖代々の不動産を相続しており、相続財産は約３億円ありましたので、相続税について勉強していました。

相続についての本に葬式費用は相続財産から控除でき、お墓や仏壇には税金がかからないと書いてあったため、夫の生前に購入しようと考え、夫と話をしておりましたが、夫は元気であったため、急ぐことなく、具体的にお墓を探すことはしていませんでした。ところが、夫が急に体調を崩し、入院してしまいました。

税金を払うくらいであればと、高額なお墓、仏壇の購入を決め、申込をしたところで私の介護の甲斐もなく、夫が亡くなりました。お墓や仏壇の領収書は、夫が亡くなった後に支払った固定資産税の納付書や葬式費用の領収書と一緒に保管しておきました。

少し落ち着いたころに、相続税の手続きをしな

くてはと、相続税の申告手続きを税理士へお願いしました。税理士から書類の準備を依頼され、保管していた書類を渡したところ、仏壇やお墓の領収書は相続税の計算には関係ないと言われてしまいました。

【墓地・墓石、仏壇・仏具などの祭祀財産の取り扱い】

	相続前に購入・支払い	相続前に購入相続後に支払い	相続後に購入・支払い
祭祀財産	非課税	非課税	—
未払金	相続財産減少	相続財産からの控除不可	相続財産からの控除不可

1. 生前にお墓や仏壇の購入・支払いをしていれば祭祀財産は非課税となり、支払額分の相続財産が減少することになったが、そのための準備をしていなかった。
2. 非課税財産は、夫が亡くなった後に支払いをしたら債務として控除することはできないことをきちんと理解せずに、相続税が減ると勘違いして高額な仏壇やお墓を購入してしまった。

［ポイント解説］

1. 祭祀財産の取り扱い

祭祀財産は、民法第897条により通常の相続財産とは異なり、祖先の祭祀を主宰すべき者が承継するものとして、別箇の承継手続きが定められています。

一般的に、被相続人に属していた相続財産は、相続が開始すると相続人に包括的に承継されることになりますが、祭祀財産は特殊な取り扱いとなっています。祭祀財産とは、民法第897条第1項に規定されている「系譜」、「祭具」、「墳墓」のことで、「系譜」とは、家系図などをいい、「祭具」とは、位牌・仏壇など祭祀や礼拝に使用するものをいいます。「墳墓」は、墓石や墓碑など遺体や遺骨を葬っている設備をいい、これらは、通常の相続財産とは異なり、慣習にしたがって祖先の祭祀を主宰すべき者が承継することになっています。

相続税法上は、墓所、霊廟及び祭具並びにこれらに準ずるものは非課税とされており、概要は以下のとおりです。

非課税となるものの例	非課税とならないものの例
・墓所、霊廟関係 墓地、墓石、おたまや ・墓所、霊廟に準ずるもの 庭内神し、神だな、神体、神具、仏壇、位牌、仏像	商品、骨董品または投資目的で所有するもの 例）金の仏像など

2. 相続税の非課税財産の取得に係る未払金

原則として、被相続人が残した借入金や未払金などの債務は、相続財産から控除できますが、相続税の非課税財産の取得、維持または管理のために生じた債務の金額は、相続税の債務控除の対象外となっています。この取り扱いは、相続税が非課税とされる財産に係る債務まで控除を認めると実質的に二重で控除できることになるためです。

3. 葬式費用の取り扱い

相続人が負担した葬儀関係の費用は、被相続人の死亡に伴う必然的な支出であることを考慮して、相続財産から控除することができます。御布施などの領収書がないものは、メモ書きを残しておく必要があります。

葬式費用になるもの	葬式費用にならないもの
・御通夜、告別式の費用、葬儀の料理代 ・火葬料、埋葬料、納骨料 ・御布施、戒名代	・香典返し ・位牌、仏壇、墓石の購入費用 ・法事（初七日、四十九日）に関する費用

事例 54

ペントハウスで失敗

私の母は1棟の賃貸ビルを所有していました。最上階の10階に母と私たち夫婦が住み、１階から９階は賃貸としていました。

ビル建築時の母の年齢から考えて相続税対策も意識していましたが、不動産業者から教えてもらった小規模宅地等の特例の制度を使えばビルの敷地全てが自宅としての減額対象となるため安心していました。

しばらくして母が亡くなり、このビルは私が相続することになりました。地価は高い地域ですが、小規模宅地等の特例を使えば土地は20%評価で済みますので、相続税の納税資金の心配はしていませんでした。

ところが、税理士に相続税の申告を依頼する段階で初めて税制改正を知りました。今までビルの敷地全てが20%評価になると思っていましたが、税制改正により、20%評価になるのは10階部分に相当する敷地のみで、１階～９階の貸家部分に相当する敷地は50%評価にしかならなくなっていたのです。

想定外の土地の評価で相続税の納税資金が足りなくなったため、なんとか他の不動産を売却して納税をしました。売却した不動産は高収益物件であったため、今後の家賃収入が大幅に減少してしまうことになりました。

○更地評価３億円の土地の評価が…

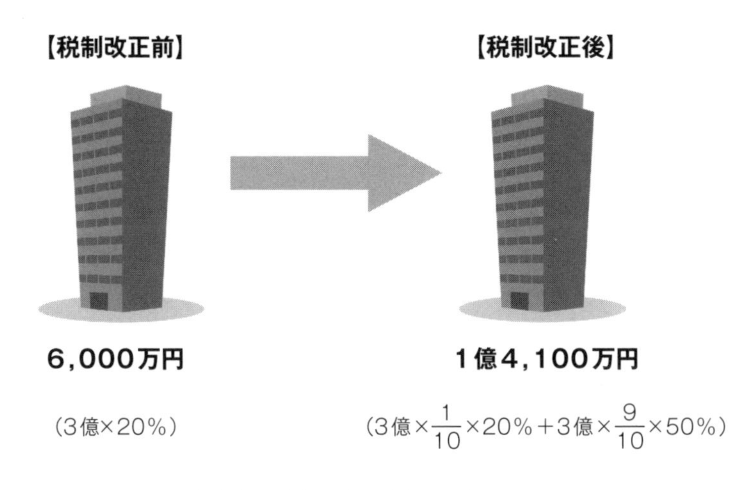

（3億×20%）

$$（3億\times\frac{1}{10}\times20\%＋3億\times\frac{9}{10}\times50\%）$$

※貸家建付地評価は考慮しておりません

相続対策も兼ねてビルの建築、利用を行っていたが、税制改正を知らずにいたことが失敗。小規模宅地等の特例を意識して、自身は最上階のペントハウスに住み、階下を賃貸としているケースは多々あるが、税制改正により大幅に評価アップとなっている。タイムリーに税制改正情報をキャッチして、新たな相続対策や納税資金対策を行う必要がある。

[ポイント解説]

平成22年の税制改正前は、ビルの一部が被相続人の自宅であれば、ビルの敷地全体が居住用の小規模宅地等の特例対象として敷地は20%評価となっていました。しかし、改正後は利用区分ごとに判定するよう適用が厳格化されています。

具体的には、次のとおりです。

改正前は、10階を被相続人である母の居住用として使用していたため、敷地全体が20%評価で済みました。

改正後は、利用区分ごとに判定することになりましたので、10階部分に相当する敷地は20%評価、賃貸用の１階から９階に相当する部分は50%評価で計算することになりました。

今まではペントハウスに住んでいれば大きな減額ができただけに、影響の大きな税制改正となっています。

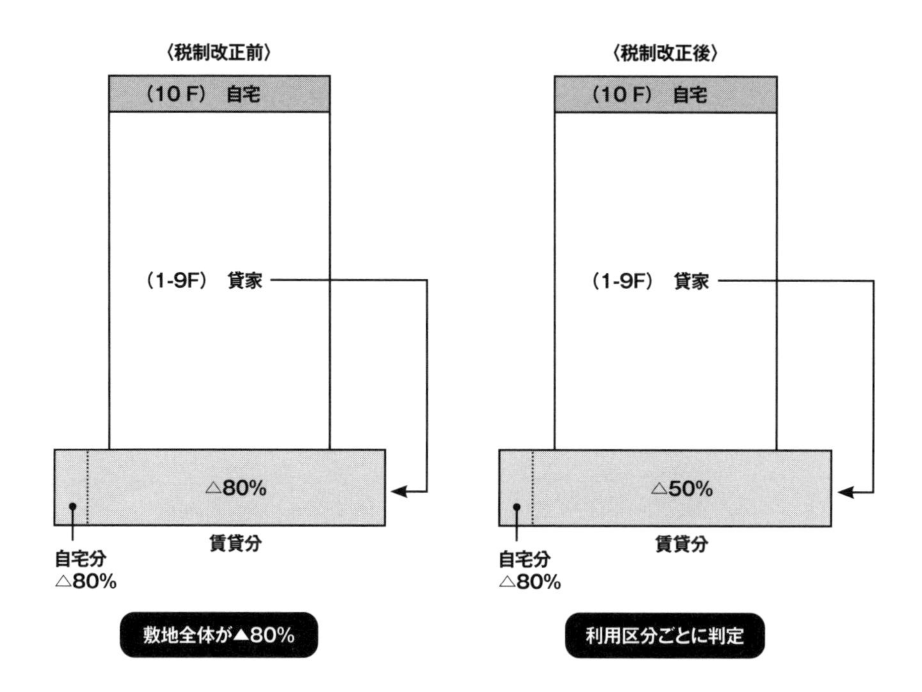

MEMO

社団・財団

事例 55

医療法人の「社員」の重要性を理解せずに失敗

私はある地方都市の病院の理事長の妻でした。私は夫の理事長とともに医師として一生懸命病院で働いてきました。病院は地域でナンバーワンの病院に発展しましたが、やっと軌道に乗った矢先に、夫の理事長がガンに侵され闘病の甲斐もなく亡くなりました。夫は、病床で「まずはおまえが理事長になり、その後は東京の医学部へ通っている息子に後を継がせるようにしろ、遺言にはおまえが俺の出資持分を相続するよう書いてあるし、俺以外の誰も出資持分を持っていないから大丈夫だ、安心しなさい」と私に言い残しました。

夫の亡き後、早速次の理事長を決める社員総会を開くために社員が集まりました。夫が払い込んだ出資持分を相続した私が病院の重要な事項は全て決めることができると思いこんでいました。今思えば、社員総会というものは夫の存命中は、きちんとやったこともありませんでした。

ところが、社員総会で、理事長には、第三者の理事である医師のBが選任されてしまいました。

社員総会でいくら出資持分の全てを相続するのは私と叫んでも、社員である事務長と、同じく社員である医師のBは多数決で決まりましたからと言うばかりです。弁護士に急いで相談すると、医療法人の社員は出資持分の多寡にかかわらず１人１個の議決権を持っていることをその時初めて知り、もはやどうしようもないと言われ愕然としました。運悪く社員だった夫の大学の恩師も、夫の亡き後すぐに亡くなっていたのでした。

医療法人を設立する際に、社員の重要性についてもっときちんと説明を受けていればと悔やみましたが、結局、夫と私が医療法人の組織について無知であったため、私は病院を追い出され、今は出資持分の払い戻しの請求について病院と係争しています。

【相続発生前の社員構成】

理事長の夫、理事の妻、理事長の大学の恩師である監事、第三者の理事の事務長A、第三者の理事の医師B

理事長の夫、理事の妻、理事長の大学の恩師である監事の議決権は３個、第三者グループA、Bの議決権は２個

【相続発生後の社員構成】

理事の妻、第三者の理事の事務長A、第三者の理事の医師B

理事の妻の議決権は１個、第三者グループA、Bの議決権は合計２個、第三者グループ合計の議決権は妻の議決権を超えてしまった。

1. 医療法人の社員の地位と権限の重要性について全く知らなかった。
2. 医療法人も株式会社と同様、出資持分の多寡により議決権を行使できると勘違いしていた。
3. 夫である理事長や、夫の大学の恩師である監事が亡くなっても、親族グループで議決権が過半数を超えるように社員の構成を組成していなかった。

[ポイント解説]

1. 社団医療法人の社員

社団医療法人の組織は、①社員　②社員総会　③理事及び監事（役員）④理事会（役員会）から成り立っています。

この組織の中で、①の社員と②の社員総会は、株式会社の組織と異なる部分があります。

まず社員ですが、社員というと株式会社では単なる会社の従業員を思い浮かべますが、社団医療法人の社員とは最高意思決定機関である社員総会の構成員のことです。株式会社でいう株主総会の構成員である株主に相当すると言えます。また、社員は自然人及び非営利法人でなければならず、したがって株式会社などの営利企業が社員になることはできないとされています。

2. 社員と株主の違い

社員は株主と似ていますが、大きく違う点があります。株式会社の株主は、株式数によって議決権が変わりますが、社団医療法人の社員は、出資持分の金額等にかかわりなく、１人１個の議決権しか有しません。頭数になるということです。

3. 社員総会と株主総会の違い

社員総会は、社員によって構成され、社団医療法人で最高の意思決定機関です。株式会社でいう株主総会に該当する機関です。しかし、社団医療法人では、上記２のように、出資金額の多寡によって、議決権の割合が変わるわけではなく、あくまでも、社員１人が１個の議決権という頭数での多数決で動いています。また出資持分を持った者が社員になれるわけではなく、出資持分を持たなくても社員総会で選任されれば社員になれます。

4. 社団医療法人の運営の注意点

社団医療法人の社員の地位と権限を理解されていない方が数多くいます。特に本事例のように社員の議決権が１人１個で、頭数での多数決で社団医療法人の重要な事項を決めることができるという恐ろしい現実を知らないまま運営されてます。しかも本事例の亡くなった理事長は、出資持分を確保できれば自分の医療法人は安泰と思っていました。

これは、医療法人を設立する際に、社員、社員総会、理事、監事、理事会について、きちんと説明を受けないまま、節税目的で設立する方が多いことや、力のある理事長が存命中は、社員総会や理事会が形骸化され、形式的に書面上での会議になっていることが多いからと思われます。

本事例であれば、相続発生を見込んで、理事長存命中に親族を２人入社させておけば過半数を下回ることはなかったはずですが、当初から、社員に自分の味方になる親族以外の第三者を入れないほうがよかったでしょう。

今までご自分の社団医療法人の社員の構成について、全く無関心であった方は、是非、１度ご自分の社団医療法人の組織を見直して、相続が発生しても、運営に支障をきたさないように備えることをお勧めします。

事例 56

寄附して証明書をもらわずに失敗

私の夫は出身大学であるA大学が大好きで、自分が亡くなったら自分の財産のうち1,000万円をA大学に寄附して欲しい、といつも話していました。遺産については、A大学に1,000万円の寄附をした後、残りの現金を長男と二男で２分の１ずつ平等に分け、自宅と有価証券は妻である私が取得するように、と望んでいました。専門家に相談し、その内容をまとめた遺言を書くことを準備していた矢先、夫が重い病にかかっていることがわかり、遺言を書くことができないまま亡くなってしまいました。私は予期せぬ夫との早い別れを悲しみつつ、故人の遺志を尊重し、夫の死後間もなく香典や私の現金などを集め、まずは500万円をA大学に寄附しました。

残りの500万円については、夫の預金から引き出して支払うつもりでしたが、預金は凍結されて引き出すことができなかったため、子供たちに解約のための書類にハンコをもらおうと、夫の遺志とこれまでの経緯を説明しました。しかし、子供たちはそれぞれのお嫁さんからの反対もあり、寄附をすることに反対だと言い出しました。さらには、私が勝手に500万円を支払ったことに怒り出し、家族のみんなから非難されることとなってしまいました。孫たちの教育費や、将来の生活に対する不安があることから、子供たちの気持ちも理解できるのですが、私は夫の遺志を尊重するため、子供たちへの説得を続けました。そして、相続税の申告期限直前になってようやく合意を得ることができ、遺産分割協議をまとめた後、子供たちは500万円の寄附をしてくれました。

私は胸を撫でおろしながら、相続税の申告手続きのほうが気になりはじめ、知人に相談してみました。相続財産の額から寄附をした金額を控除すると相続税の基礎控除以下であったため、相続税はかからないだろうと思っていたのですが、知人から非課税制度の適用を受けるために申告が必要だと知らされ、慌てて税理士に相談してみました。

すると、「最初の500万円の寄附については、寄附金の領収書が遺産分割協議書の日付より前になっていますね。ご主人様の死亡により生命保険金の受け取りはありませんから、香典や貴方の財産より寄附をしたのではないでしょうか。残念ながら、相続により取得した財産からの寄附ではないので、非課税の特例の適用はありません。最近の500万円の寄附については、お子様が相続により取得した財産を申告期限までに寄附しているので、その点は良いのですが、非課税とするためには証明書類を相続税申告書に添付する必要があります。この証明書の発行には申請後１ヶ月～２ヶ月程度かかるといわれていますので、残念ですが、申告期限に間に合わない可能性が高いですね」と税理士が言うので、私はビックリしてしまいました。

相続税の優遇措置があると考えて、寄附をするよう子供たちを説得していた私は、また子供たちから非難されることとなってしまいました。

1. 非課税の特例の適用を受けるためには、相続や遺贈で取得した財産を寄附する必要があるが、この要件を知らず、遺産分割協議前に手許にあった香典収入や自分の金銭を寄附してしまった。
2. 非課税の特例の適用を受けるためには、相続税の申告書に一定の証明書類を添付する必要があることを知らなかった。
3. 遺言がなかったため、遺産分割協議が必要になり、子供たちの説得に時間がかかってしまった。そのため、申告期限直前の寄附になってしまい、証明書が申告期限までに準備できなかった。

［ポイント解説］

1．「国、地方公共団体または特定の公益を目的とする事業を行う特定の法人などに寄附した場合の特例」制度

相続や遺贈によって取得した財産を、国や地方公共団体または特定の公益を目的とする事業を行う特定の法人などに寄附した場合等には、その寄附をした財産は相続税の対象としない特例があります。

この特例を受けるには、次の要件全てに当てはまることが必要です。

(1) 寄附した財産は、相続や遺贈によって取得した財産であること。
相続や遺贈で取得したとみなされる生命保険金や退職手当金も含まれます。

(2) 相続財産を相続税の申告書の提出期限までに寄附すること。

(3) 寄附した先が国や地方公共団体または教育や科学の振興などに貢献することが著しいと認められる特定の公益を目的とする事業を行う特定の法人（以下「特定の公益法人」といいます）または認定非営利活動法人（認定NPO法人）であること。

（注1） 特定の公益法人の範囲は独立行政法人や社会福祉法人などに限定されており、寄附の時点ですでに設立されているものでなければなりません。

（注2） 認定非営利活動法人（認定NPO法人）に対する寄附の場合は、その法人が行う特定非営利活動に係る事業に関連するものでなければなりません。

本事例では遺産分割協議成立前に寄附をしているため、形式上においても相続や遺贈によって取得した財産を寄附したとは考えられません。香典として取得した金銭や寄附する被相続人以外の資産を寄附した場合には特例の適用はないため、注意が必要です。

また、本事例にはありませんが、配偶者が仮に相続により取得した現金以外の財産（有価証券等）を換価処分し、その金銭を寄附した場合も、その財産は非課税となりません。

2. 特例の適用手続き

相続税の申告書に寄附した財産の明細書（相続税の申告書の第14表）や、一定の証明書類を添付することが必要です。

本事例ではA大学が文部科学省に申請し「相続税非課税対象法人の証明書」を発行してもらう必要があります。この発行には申請してから約１ヶ月～２ヶ月程度かかるといわれています。

3. 遺言による寄附

被相続人が遺言により寄附した財産についても一定の要件を満たすと非課税となります。トラブルを防ぐため、財産の分け方が決まったら、早めに公正証書遺言を作成しましょう。

事例 57

医療法人に関する失敗

私の父は医者で医療法人を経営しておりましたが、先日亡くなりました。一人息子の私は勤務医でしたが、昨年から父の医療法人で働いており、父の医療法人を引き継ぐ予定です。

父は生前から、自分に何かあった時は、法人に資産があるから心配するなと言っておりました。実際に父は給料をあまりとらずに、法人に資産が積み上がっており、決算書を見るとかなりの純資産が積み上がっております。

相続税の計算をしてみたところ、父が出資した医療法人は出資持分の定めのある医療法人で出資金の評価は５億円になるということです。また、母もすでに他界しており、相続税の配偶者控除がとれないため、その他の財産を含めて相続税は2億5,000万円くらいになってしまいます。

税理士に相談したところ、父の言うとおりに出資金を法人に払い戻し請求して納税資金に充てようとする場合、払い戻しした金額に対して半分くらいの税金がかかってしまうことを知りました。

他の医療法人では、納税資金対策として、MS法人を活用したり、死亡退職金を準備しているそうですが、納税ができるかどうか非常に不安です。

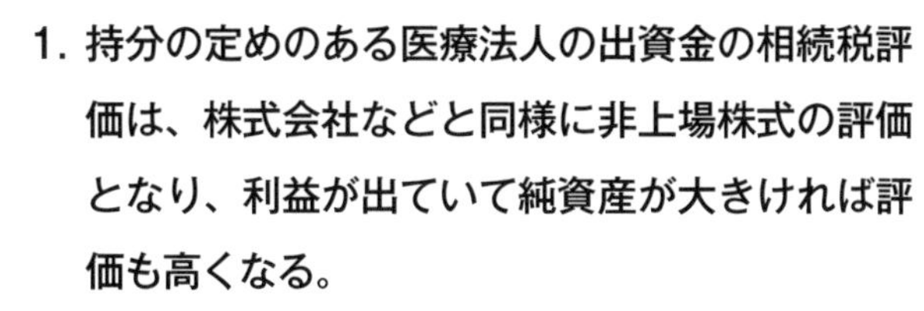

1. 持分の定めのある医療法人の出資金の相続税評価は、株式会社などと同様に非上場株式の評価となり、利益が出ていて純資産が大きければ評価も高くなる。

2. 医療法人には出資持分を買い取るという考え方がないため、株式会社のように金庫株の特例をとることができない。
3. 納税資金対策として、MS法人の活用や死亡退職金の備えがなかった。

[ポイント解説]

1. 金庫株の特例と取得費加算の特例

株式会社の場合、いわゆる金庫株として、自社の株式を発行会社が買い取ることを認めております。

金庫株の税務上の取り扱いは、売却した株主は配当を受けた扱いとなり、払い込んだ金額を超える部分の金額は「みなし配当」として配当課税されます。個人の場合は所得税・住民税合わせて最大55%程度の税金がかかります。ただし、相続で取得した非上場株式を相続発生後３年10ヶ月以内にその発行会社に売却した場合は、「譲渡所得」として20%程度の税金となります。さらに、非上場株式を相続した時に支払った相続税の一部を取得費に加算して収入金額から差し引くことができます。よって、株式会社の場合は、相続発生後に株式の一部を会社に売却して納税資金を捻出することが一般的な方法の１つです。

一方で医療法人については、医療法により自己の出資持分を自ら買い取るという考え方がありません。相続後に出資金の払い戻し請求をすることはできますが、払い戻しを受けた金額に対しては、「譲渡課税」ではなく、「配当課税」となってしまいます。

＜金庫株の特例＞

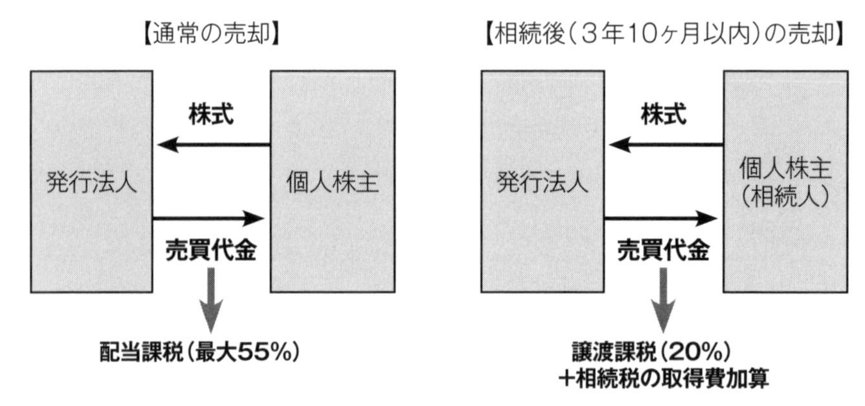

2. 医療法人における納税資金の対策

上記のとおり、医療法人のオーナーは納税資金の対策が避けられません。対策として一般的なのは、①MS法人の活用と②死亡退職金の準備が挙げられます。

MS法人とは、メディカルサービス法人の略で、医療行為以外のサービスを行う株式会社等をいいます。例えば、医療法人が利用する不動産をMS法人が所有して家賃を受け取る場合などにより、MS法人に資産を蓄積することができます。また、MS法人の株式を相続した場合は、医療法人とは異なり、上記１の金庫株の特例を受けることができます。

死亡退職金については、500万円×法定相続人の数まで非課税となり、納税資金として有効です。ポイントとしては、医療法人で過大な退職金とみなされないように退職金規定を準備しておくことや、保険などにより退職金の原資を積み立てておくことなどが挙げられます。

また、平成26年度の税制改正により、一定の認定を受けた医療法人については、持分の定めのない医療法人へ移行することを条件に、相続税の納税の猶予・免除を受けることができる制度が開始しておりますので、合わせて検討が必要です。

いずれにしても、平成19年3月迄に設立された持分の定めのある医療法人を承継する方については、納税資金対策含め、出資持分に対する対策が必須となりますので生前の準備をしておくことが重要です。

MEMO

民事信託

事例58　早めに権限移譲して失敗（信託していれば）

事例59　生活費の引き出しで揉めて失敗

事例60　賃貸不動産を信託して失敗

事例 58

早めに権限移譲して失敗（信託していれば）

私は、製造業を営むA社の創業オーナーで代表取締役社長を務めていましたが、このたび社長を退任して、「自分に会社を任せて欲しい！」と気合十分の後継者（当時、専務取締役）の長男へ社長の座を譲りました。長男はまだ若いので若干の心配はありましたが、他の役員が自分たちのいる間は新社長の長男を支えてくれるというので、「任せてみようじゃないか！」と一大決心しました。

また、私の代表者退任の際は、創業者ということもあり、多額の役員退職金を受け取ることができました。高額に評価されている自社株は、私が全株保有していたので、万一の際の相続税を心配していたのですが、結果として、自社株の評価額が大きく減少することが見込めました。そこで、これを機に自社株も全株を長男へ贈与して私の役目を終えたことで安心しているところでした。

ところが、数ヶ月経過した後、長男は私の期待とは裏腹に、譲った自社株の議決権を行使して、私を支えてくれていた役員全員を解任して、自分

の言うことを聞くメンバーに総入れ替えしてしまいました。長男は、権力を手に入れたとばかりに、私の言うことすら聞かずに暴走してしまい、社員からは不信の声が飛び交っている状況です。このようなことになるのであれば、株価は下がって好機だったとはいえ、しばらくの間は自社株を渡さなければよかったと反省しています。

〈株主の権利〉

持株比率	**株主の主な権利**
1株以上	●議決権　●利益配当請求権 ●残余財産請求権　●株主代表訴訟提起権
1％以上	●総会提案権
3％以上	●総会招集権　**●帳簿謄写閲覧権**
10％以上	●解散請求権
1／3超	●株主総会**特別決議の否決（拒否権）**
1／2 超	●株主総会**普通決議の可決** 取締役・監査役の選任等
2／3以上	●株主総会**特別決議の可決** 取締役・監査役の即時解任、定款変更、合併、株式交換、株式移転、金庫株、会社分割、第三者割当増資等

1. 自社株には、財産権と経営権の２つの側面があり、経済合理性を考えると株価が下がったタイミングで自社株を贈与することは最適だったが、経営権（議決権）を保有させ会社を支配できる権利を与えるには時期尚早であった。
2. 民事信託を活用すれば、議決権はオーナーに残しながらも、自社株の実質的な財産権を後継者に渡すことができるということを知らなかった。

［ポイント解説］

1. 自社株の承継は難しい

自社株の承継は特に難しいといわれています。なぜなら、自社株の中身には相続財産として課税の対象となる「財産権」という側面と、株主総会で議決権を行使できる権利としての「経営権（議決権）」という側面の２つがあるからです。経営権については、比率が２分の１超の議決権（普通決議）で取締役等の選任、解任が可能です。さらに、３分の２以上の議決権（特別決議）で定款変更や合併等の組織再編の決議ができます。将来の相続税を抑えるという意味では、株価が低いタイミングで後継者に引き継ぐことが合理的ですが、反面、経営権を与え後継者が暴走してしまうこともあります。実際これらを気にして、自社株についてはまだ譲りたくないというご相談が多いのも事実です。

2. 民事信託とは

信託とは、「委託者」が自身の所有財産を信頼できる「受託者」に託し、目的にしたがって管理・運用・処分を行い、その財産から生じる利益は「受益者」に給付するものです。民事信託は、これを家族間等で行うものです。信託を設定しますと、財産の経済的な所有者と、財産の管理者とが分断され、経済的な所有者が「受益者」であり、管理者が「受託者」となります。「受託者」は単に財産を預かりその管理をしているだけで、「受益者」が実質的な所有者になります。そこで税務上は、「受益者」に信託財産が帰属しているものとして課税されます。そのため信託が設定されると、税務上は原則として「委託者」から「受益者」へ財産の移転（贈与）があったものとみなして贈与税が課税されます。

3. 事業承継における信託の活用

オーナーの父が委託者かつ自ら受託者となり、配当金等の分配を受ける受益者を後継者の長男とすることにより、議決権は自ら引き続き行使することができます。一方、後継者を受益者としていますので、実質的な財産の帰属は後継者であり、この段階で後継者に贈与税が課税されます。この時株価が低いタイミングで信託が設定されると、後継者の贈与税を低く抑えることが可能となるのです。

なお、この自らが受託者となる信託を「自己信託」と言いますが、この「自己信託」は公正証書の作成によって設定することが可能です。

また、後継者の成長度合いに応じて、例えば信託期間を10年間として、経過後は議決権を後継者に譲るなどの設定も可能です。

事業承継における信託の活用

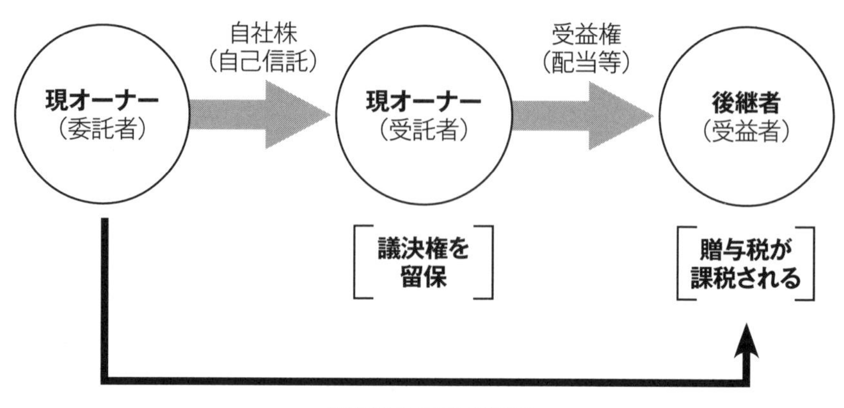

事例 59

生活費の引き出しで揉めて失敗

先日、父が90歳で亡くなりました。母はすでに亡くなっており、父の介護は長男である私が行っていました。私の他に相続人は、二男と長女がおります。

相続税の申告の作業の中で、父の過去の通帳から現金の引き出しをチェックしていたところ弟から一点指摘を受けました。父の預金1,000万円を解約して私の名義にしていましたが、認知症の疑いのあった父の預金を勝手に引き出すなんて、横領じゃないかと罵られてしまいました。

私は、父の通帳を預かって生活費や施設の管理料を代行して払って管理をしてきました。私としては父の面倒を見ていて体力的にも相当きつかったということもあり、3年前にその時だけ父の定期預金を解約し私の預金としておりました。私が立て替えたお金の回収や、今後の支払いを考えると自分名義の口座に入れておいたほうが便利だと考えたからです。

結果、家庭裁判所での調停となり、過去に引き

出した1,000万円については遺産分割の対象としてきょうだいで分けるように言われてしまいました。

私の気持ちとして、弟から言われた「横領」という言葉が、いつまでも耳に残り、介護の苦労も認めてもらえず、悔しくてなりません。

預金の引き出し

父の口座

長男：父の生活費や介護
その他1,000万円の引き出し

1. 父の同意もなく勝手に預金を引き出して自分のものにしてしまった。
2. 認知症である場合には、意思能力がなく生前贈与をすることができない。
3. 成年後見制度を活用したり、または民事信託を活用したりして、長男に預金を信託し、信託監督人をきちんとつけて管理しておかなかった。

[ポイント解説]

1. 高齢者の財産管理

認知症や知的障害等の理由で判断能力が低下してしまった場合には、不動産や預貯金などの管理や、介護施設の契約を結んだり、遺産分割協議をすることが困難な場合もあります。このように判断能力が不十分になってしまった方を支援する制度を「成年後見制度」といいます。

成年後見制度は大きく「任意後見制度」と「法定後見制度」の２種類に分類されます。

任意後見制度はまだ自分に意思能力があるうちに任意後見人を選ぶ制度をいいます。法定後見制度は、実際に意思能力がなくなってしまった時に家庭裁判所に成年後見人を申立てる制度をいい、状況に応じて「後見」「保佐」「補助」の３段階があります。

法定後見制度は、家庭裁判所に申立てをして後見人を選定してもらう必要があります。また、後見人になった人はその後、毎年家庭裁判所に財産状況などを報告する義務があります。

2. 最近話題の財産管理の方法「民事信託」

最近、「信託」という言葉をよく耳にします。いろいろな場面で使われますが、ここでは「民事信託」という制度を紹介します。

簡単にいうと、信託銀行等の専門家に資産を預けるのではなく、家族に資産を預けて管理をしてもらう制度をいいます。

登場人物は、もともとの財産の保有者である委託者（父）、財産の管理を委託される人を受託者（長男）、財産からの利益を受ける人を受益者（父）といいます。また、受託者に預ける財産を信託財産（預貯金、不動産など）といいます。

例えば、高齢で財産の管理、処分をすることに不安な方が、老後の生活に備えて、自身の預金を長男に信託します。すると口座の名義人は長男になりますので長男が通帳を管理して、これを受益者である本人（父）のために使う、という内容の信託契約を結んでおくとそのとおりにできるのです。後見制度と違い、家庭裁判所を通さないで契約できる点はありますが、信頼できる人を受託者にする必要があります。

また、受託者がきちんと信託財産を管理・使用しているかどうかチェックするために信託監督人を設定する場合もあります。そもそも受託者は委託者にとって信頼できる人ではありますが、信託監督人が、受託者を監督しますので他の親族にとっても安心です。

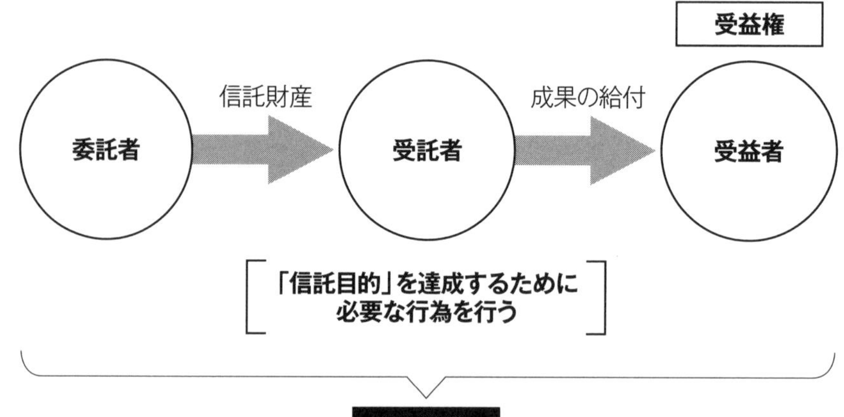

（注）「委託者＝受益者」⇒「自益信託」、「委託者≠受益者」⇒「他益信託」
「委託者＝受託者」⇒「自己信託」

事例60

賃貸不動産を信託して失敗

私は、不動産賃貸業を営む地主ですが、知人の勧めもあり、将来の自分の認知症に備え、賃貸マンション１棟について、後継者である長男を受託者とする民事信託の設定をしました。賃貸マンションは複数棟所有しているものの、初めての民事信託で不安もあったことから、とりあえず１棟のみの信託でしたが、この１棟については長男が受託者として名義人となったことで、管理会社とのやり取りや大規模修繕の工事業者との交渉も長男が単独で行うことができ、とても助かりました。無事に大規模修繕工事も終わり、翌年、工事明細を含む不動産賃貸に関する書類を税理士へ送付したところ、信託をしたことにより、大規模修繕工事の費用の一部が経費化できない可能性があると言われました。

1. 信託した不動産の所得が赤字となった場合には、赤字は切り捨てになることを知らなかった。
2. 大規模修繕工事の予定があるのであれば、工事完了後に信託をするべきだった。
3. 複数物件を所有しているのであれば、他の不動産も一緒に信託をしておけばよかった。

[ポイント解説]

1．認知症対策としての不動産信託

不動産を所有する方が認知症になると、建物の修繕や建替えを行うための各種契約行為ができなくなり、日常の家賃管理なども難しくなります。認知症になった方をサポートする制度としては成年後見制度もありますが、後見人では、修繕はできても必ずしも建替えまでできるとは限りません。成年後見制度は本人の財産の維持・管理・保全を目的としているからです。

一方、信託であれば、不動産の建替えを行い、事業を拡大する「運用」を行うこともできますので、認知症対策としての信託が注目されています。

<認知症対策の信託>

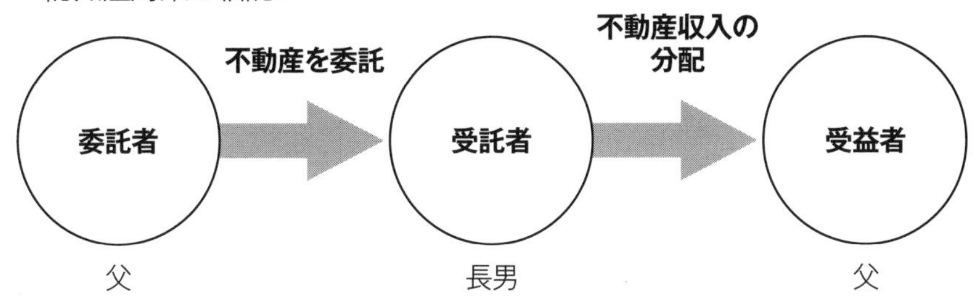

図のとおり、受託者である長男は、信託財産からの果実である家賃収入を受益者である父に分配します。信託契約の目的で定めれば管理以外に売却や建替えなども可能です。

2．信託した財産で損害が生じると

信託財産から生じる収益及び費用は、受益者の収益及び費用とみなされることが原則ですが、次の①②のいずれも満たす場合は、その損失はなかったものとされます。

①受益者が個人の場合で、

②信託から生じた損失が不動産所得の損失の時

通常、不動産所得で損失が生じた場合には、他の不動産所得との内部通算や給与所得等との損益通算、さらに控除しきれない場合には翌年以降での繰越控除が可能ですが、信託から生じた不動産所得がマイナスの場合にはなかったこと、つまり切り捨てとなるため、内部通算・損益通算・繰越控除とも対象外となります。

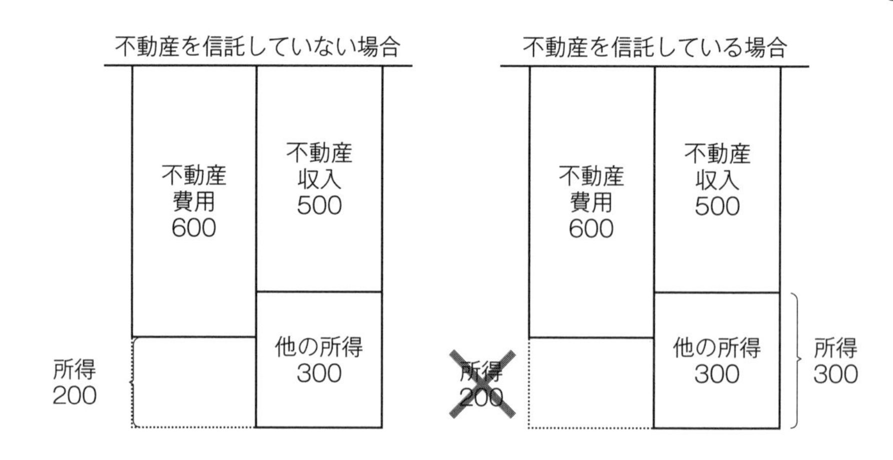

3．どうすればよかったか

賃貸不動産の収支を確実に予測することは難しいことですが、近い将来に大規模修繕が見込まれる場合などには、その修繕が資本的支出（一旦資産計上され減価償却）または修繕費（一度に必要経費算入）のいずれに該当するものかを事前に想定し、修繕完了後の信託を検討するなど、単年で信託財産による損益が赤字とならないかを確認しておく必要があります。

また、１つの物件で大口テナントの退去や大規模修繕があっても、他の物件の収益でカバーして黒字を確保できることもあるため、複数物件を１つの信託契約に含めることで、信託による不動産所得の赤字リスクの軽減にもつながります。

海外

事例61

相続人に非居住者がいるのに遺言を書かずに失敗

私は現在仕事でアメリカに居住しております。このたび父に相続が発生して財産を相続することになりました。相続人は私と日本に住んでいる弟の2人です。父の財産は自宅１億円、預金１億円、上場株式5,000万円のほか、会社経営をしていたので非上場株式１億円を所有しておりました。

父は遺言を遺していなかったため、弟と遺産分割をすることになりましたが、私は海外にいるのでなかなか弟と会うことができず、父が亡くなってから４ヶ月が過ぎようとしておりました。

ようやく私は日本に帰国することができ、弟と父の会社の顧問をしていた税理士と打ち合わせをすることになったのですが、税理士から、私が非居住者であるため「国外転出時課税」というものがかかってしまうので早急に手続きをしなければならない、といわれました。もっと早く言ってくれればいいのにと思いながらも、その税理士も最近になって気が付いたということで、あわてて税務申告をすることになりました。

1. 相続人に非居住者がいる場合で、被相続人が有価証券等を１億円以上所有していた場合には、国外転出時課税という制度により、有価証券等の含み益に対して所得税が課されてしまいます。
2. その所得税はあくまで被相続人の譲渡所得となるため、相続開始の日から４ヶ月以内に準確定申告により申告と納税をしなければなりません。
3. ４ヶ月以内に遺産分割協議がまとまって、非居住者の相続人が有価証券等を相続しなければ、結果的に課税されることはありませんが、一般的には４ヶ月以内に遺産分割がまとまるケースは少ないと考えられます。
その対策として、遺言により、非居住者以外の相続人に有価証券等を相続させる、としておけば、国外転出時課税により課税されることを防ぐことができたと考えられます。

<親族図>

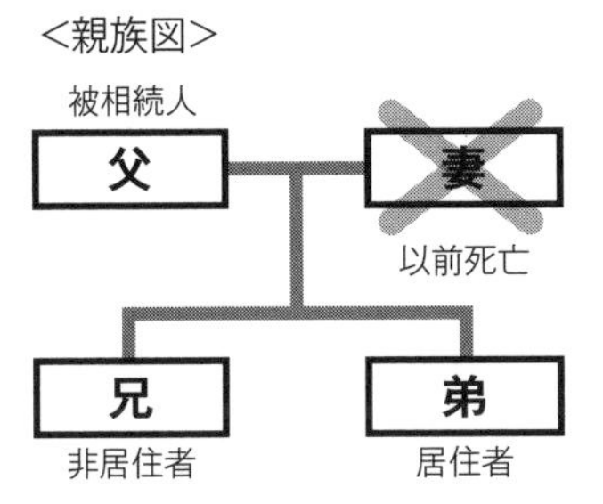

<相続財産>

財産	金額	
上場株式	5,000万円	1億円以上
非上場株式	1億円	
自宅	1億円	
預金	1億円	

[ポイント解説]

1. 国外転出時課税

国外転出時課税とは、１億円以上の有価証券等を保有する居住者が国外に出国する時に、その有価証券等の含み益に対して所得税が課税されるという制度です。

つまり、通常は居住者本人が日本から海外に出国する時に課税されるものですが、それ以外にも、①居住者が非居住者に対して対象資産を贈与する場合と、②居住者から非居住者である相続人が対象財産を相続する場合も含まれます。

本事例は、父の財産のうち、上場株式が5,000万円、非上場株式が１億円、合計１億5,000万円で有価証券等の合計が１億円以上となり、かつ、相続人の１人が非居住者であるため、上記②に該当し、国外転出時課税の対象となります。

2. 準確定申告

税金がかかるのはあくまで被相続人のため、被相続人の所得税の申告期限である相続開始日から４ヶ月以内に申告と納税をしなければなりません。

ただし、含み益に対する税金のため、納税する資金が確保できないと想定されることから、納税猶予が認められています。納税猶予の要件は、準確定申告の期限までに担保を提供し、申告書に一定の明細書を添付し、納税管理人の届出をする必要があります。

なお、非居住者である相続人が５年以内（延長している場合には10年以内）に帰国をした場合、課税の取り消しをすることができます。課税の取り消しを受けるためには、帰国した日から４ヶ月以内に更正の請求をする必要があります。

3. 遺言があった場合

相続があった場合の国外転出時課税による課税を防ぐには、２つの方法があります。①４ヶ月以内に非居住者である相続人が有価証券等を相続しない形で遺産分割協議をまとめる。②非居住者以外の相続人に有価証券等を相続させる内容の遺言を遺しておく。現実的に①の方法は難しい場合が多いため、②の遺言を遺す形が一番有効と考えられます。

事例 62

配偶者が海外資産を取得して失敗

私の父はハワイが大好きで、５年前にハワイのコンドミニアムを購入し、母とハワイに行った時は別荘として使っておりました。ただ、英語ができない一人息子の私は、父に万が一のことがあった時にはコンドミニアムを誰が相続して、管理していくのだろうと不安を抱えておりました。

昨年父が亡くなり、相続人である母と私で遺産分割協議をしましたが、ハワイのコンドミニアムについては、英語ができる母が引き継ぐことになりました。その他の国内の自宅や預金等の財産についての遺産分割も、母と話し合いが終わり、ハワイのコンドミニアムを含めた遺産全体について母と私で２分の１ずつ相続することで合意いたしました。

遺産分割が決まったので相続税の申告を依頼している税理士に報告しました。ところが、母がハワイのコンドミニアムを相続した場合、アメリカで支払う相続税が日本の相続税から控除できないので、ハワイのコンドミニアムは、私が相続した

ほうが税金面で有利だったのに、と言われてしまいました。

1. ハワイのコンドミニアムについては、一定の金額を超える場合、アメリカでも相続税がかかってしまう。
2. 外国で支払った相続税は、日本の相続税から控除することができるが、配偶者が日本の相続税を支払わない場合には、外国で支払った相続税が控除できないことを知らなかった。

【相続税の税額控除の計算】

納付すべき相続税から以下の項目が控除されます。

	納付すべき相続税
税額控除	①贈与税額控除
	②配偶者の税額軽減
	③未成年者控除
	④障害者控除
	⑤相次相続控除
	⑥外国税額控除

この順番で控除

例えば、母の相続した2分の1の財産に対応する日本の相続税が5,000万円、ハワイのコンドミニアムに対するアメリカの相続税が1,000万円の場合

相続税	5,000万円
①	0
②	△5,000万円
③	—
④	—
⑤	—
⑥	×

5,000万円−❷5,000万円=0のため、外国税額控除は適用されない

[ポイント解説]

1. 配偶者の税額軽減

配偶者の税額軽減とは、配偶者が遺産分割や遺言により相続した財産が次のいずれか多い金額までであれば相続税がかからないという制度です。

①1億6,000万円

②配偶者の法定相続分

留意点としては、相続税の申告期限までに遺産分割が完了していない場合には税額軽減の対象となりません。ただし、申告期限後３年以内に分割が決まる見込みであれば、一定の届出書を提出して、後で適用を受けることも可能です。

本事例は、母が法定相続分まで相続し、遺産分割も完了しているため、母には日本の相続税がかからないことになります。

2. 外国税額控除

外国税額控除とは、海外にある財産を相続した場合において、その財産についてその国の相続税に相当する税金がかかった時に、その外国の相続税相当額のうち一定額まで、日本の相続税から控除することができる制度です。

趣旨としては、１つの財産に対して、日本と海外で二重に税金がかかることを防止するために設けられているものです。

つまり、今回は相続人がハワイのコンドミニアムを相続し、その財産について、日本でもアメリカでも相続税がかかっておりますので、アメリカで支払った相続税を日本の相続税から差し引くことができるということになります。なお、日本の居住者に対しては、アメリカ所在の財産が基礎控除額６万ドルまたは日米租税条約による基礎控除額の特例額を超える場合にアメリカの遺産税（日本の相続税に相当）が発生します。アメリカの遺産税にも、日本の相続税における「配偶者の税額軽減」のような特例はありますが、日本の居住者には適用されないことになっています。

3. 相続税の税額控除

相続税の税額控除には、上記１と２の他にも、贈与税額控除、未成年者控除、障害者控除、相次相続控除があります。ただし、税額控除は控除される順番が決まっております。

本事例のケースにおいて、母の計算は、まず配偶者の税額軽減を適用し、次に外国税額控除を適用するため、配偶者の税額軽減の段階で税額が０円になった場合は、外国税額控除が控除しきれなくなってしまいます。

外国税額控除の適用を受けるためには、遺産分割において、息子がコンドミニアムを相続すれば、外国税額控除の適用を受けることができ、家族全体の相続税は安く済むものと考えられます。

事例 63

海外財産は贈与税がかからないと思い失敗

私の父は貿易関係の仕事をしており、長年アメリカに住んでおります。娘である大学生の私は、生まれてからずっと日本で生活をしておりますが、いつか父のように海外で活躍できるように留学をしたいと考えております。

先日父が帰国した時に、アメリカの銀行のステートメントを預かりました。内容を見てみると、アメリカの私名義の預金口座に父から現金が振り込まれておりました。父に聞いてみると、将来留学した時のために使いなさいということでした。

非常にうれしかったのですが、現金をもらった場合には贈与税がかかると大学の授業で習ったので、税理士の勉強をしている友人に聞いてみたところ、海外にある現金をもらったとしても、日本の贈与税がかかる場合があるということでした。

さらにその年の12月31日において国外に5,000万円超の財産を持っている場合は税務署に報告しなければならないということも初めて知りました。

贈与する父がアメリカに住んでおり、預金口座もアメリカにあるので日本の贈与税はかからないと思っていた。

［ポイント解説］

1．贈与税の納税義務者

贈与税は年間110万円を超える財産をもらった人に対して課税されます。贈与税の納税義務がある人は下記の表のとおりです。

【納税義務の範囲】

<table>
<tr><th colspan="2" rowspan="3">受贈者
贈与者</th><th colspan="2">国内に住所 あり</th><th colspan="3">国内に住所 なし</th></tr>
<tr><th rowspan="2"></th><th rowspan="2">在留資格を有する短期滞在の外国人で一定の者</th><th colspan="2">日本国籍あり</th><th rowspan="2">日本国籍なし</th></tr>
<tr><th>10年以内に国内に住所あり</th><th>10年以内に国内に住所なし</th></tr>
<tr><td colspan="2">国内に住所 あり</td><td rowspan="5">居住無制限納税義務者</td><td></td><td rowspan="5">非居住無制限納税義務者</td><td colspan="2"></td></tr>
<tr><td></td><td>在留資格を有する一定の外国人</td><td>居住制限納税義務者</td><td colspan="2">非居住制限納税義務者</td></tr>
<tr><td rowspan="3">国内に住所なし</td><td>10年以内に国内に住所あり</td><td></td><td colspan="2"></td></tr>
<tr><td>一定の外国人</td><td rowspan="2">居住制限納税義務者</td><td colspan="2" rowspan="2">非居住制限納税義務者</td></tr>
<tr><td>10年以内に国内に住所なし</td></tr>
</table>

贈与税は、贈与者（あげる人）と受贈者（もらう人）がどこに住所があるか、また、贈与される財産がどこにあるかによって取り扱いが異なります。

本事例の場合は、贈与者である父は「国内に住所なし」ですが、娘は「国内に住所あり」のため、「国内・国外財産ともに課税」されます。よって、父から娘がもらった現金は日本の贈与税の対象となります。

なお、国内に住所があるかどうかの判定は、住居・職業・資産の所在・親族の居住状況・国籍等の客観的事実によって判断されることになるため、単純に年間の滞在日数のみで判断されるものではありません。

2. 国内財産と国外財産

財産の所在については、資産ごとに以下のように定められております。

【財産の所在地】

財産の種類	所在地
不動産	その不動産の所在地
預貯金	預入をした支店・営業所の所在地
生命保険契約	その契約に係る保険会社の本店等の所在地
貸付金	債務者の住所または本店等の所在地
社債・株式	発行法人の本店の所在地
国債・地方債	発行した国・地方公共団体の所在地
その他、定めのない財産	贈与者の住所地

今回は預貯金を贈与しておりますが、贈与した預貯金はアメリカの口座であるため、「預入をした支店・営業所の所在地」が国外となります。よって、国外財産の贈与ということになりますが、上記1の納税義務者の判定により、国外財産であっても日本の贈与税の対象となります。

上記のとおり、国外にある財産であっても、あげる人ともらう人の住所等により日本の贈与税の対象となります。また、一定の要件に該当する場合には、「国外財産調書」の提出が義務付けられておりますので、国外にある財産について、贈与をしたり、名義を書き換えたりする場合には注意が必要です。

事例 64

海外投資は相続対策と思いこみ失敗

私は長年不動産への投資を継続して行っておりました。不動産に投資することで相続税の評価が下がる仕組みを理解しており、息子たちが税金を払える範囲内で続けていたつもりです。

先日、親しい不動産屋さんの紹介で海外投資セミナーに参加をしましたが、投資として海外の不動産に魅力を感じ、是非購入しようと思いました。相場が安定していることや日本語の対応をしてもらえることから、ハワイの不動産を勧められたので、早速ハワイに行って現地の不動産の内覧をさせてもらいました。日本にはない非常に魅力的な物件があったため、自分でも使うことができるホテルコンドミニアムを購入することに決めました。

日本に帰国して、購入手続きを進めておりましたが、確定申告を頼んでいる税理士に報告したところ、海外の不動産の評価は、日本の不動産の評価とは異なるため、相続税が上がってしまうかもしれないと指摘を受けました。さらに、国外に

5,000万円超の財産を持っている場合には、「国外財産調書」という書類を税務署に提出しなければならないということを聞きました。

投資としての利回りは十分魅力的なので是非購入したいのですが、相続を考えると迷っております。

1. 国外にある不動産も国内の不動産と同じように相続税対策になると思っていた。
2. 国外に5,000万円（相続開始年に取得した相続国外財産を除く）を超える財産を持っている場合には、税務署に報告しなければならないことを知らなかった。

［ポイント解説］

1．国外財産の評価

国内にある不動産の評価は、土地については原則として路線価評価または倍率評価を適用し、建物については固定資産税評価を適用します。一般的には、路線価評価は時価相場の70%～80%程度、固定資産税評価は時価相場の60%～70%程度といわれております。また、賃貸物件であれば、借家権や借地権を加味して、さらに評価が低くなります。

一方で国外にある不動産の評価は、原則として、現地での売買事例価額、地価の公示制度に基づく価額及び鑑定評価額等を参考に評価します。つまり、不動産を購入した後、相場が値上がった場合には相続財産の評価が上がることになります。また、為替の換算をする必要があり、円安になった場合にはさらに評価が上がる可能性があります。

相続対策として国内にある不動産を購入するケースはありますが、国外にある不動産を購入した場合には、評価が上がってしまい、相続対策にならない場合があります。

2. 国外財産調書制度

近年、日本の居住者の国外財産保有が増加傾向にある中で、国外にある財産についての申告の仕組みとして、国外財産調書制度が導入され、平成26年1月から施行されております。制度の概要は以下のとおりです。

＜国外財産調書制度の概要＞

項目	内容
提出義務者	その年12月31日において5,000万円（※1）を超える国外財産を保有する非永住者以外の居住者
記載事項	提出者の氏名、住所または居所 国外財産の種類、数量、価額など
提出期限	その年の翌年３月15日までに税務署長に提出する（所得税の確定申告が不要な場合でも提出する）
インセンティブ	提出有無により過少申告加算税等が本税の５%相当額、加減算（※2）
罰則規定	１年以下の懲役または50万円以下の罰金

※１　相続開始年に取得した相続国外財産については、その合計額の判定から除くことができます。

※２　国外財産調書に記載すべき国外財産に関する書類の提示等が一定期間ない場合には、軽減措置なしまたは加重割合が５%加算となります。

注意しなければならないポイントとしては、インセンティブと罰則規定です。

インセンティブとは、所得税や相続税の申告について、国外財産に関する申告漏れがあった時のペナルティ（過少申告加算税等）の取り扱いが異なる点です。申告漏れがあった財産について、国外財産調書に記載されていたものについては、その申告漏れに係る部分の過少申告加算税等について５%減額（一定の場合には軽減なし）されます。一方で、国外財産調書に記載がなかったものについては、その申告漏れに係る部分の過少申告加算税等について５%加重（一定の場合には10%）されます。

罰則は上記の表に記載したとおりですが、罰則となるケースは、①偽りの記載をして国外財産調書を提出した場合、②正当な理由がなく提出期限内に国外財産調書を提出しなかった場合です。

国外不動産への投資については、利回りや為替変動を十分に考慮して検討をすべきと考えますが、①相続税の評価が国内不動産と異なること、②国外財産調書の提出をしなければならないことも合わせて検討する必要があります。

参考文献

・「これだけはおさえておきたい 相続税の実務Q&A」、笹岡 宏保、株式会社清文社

・「民法と相続税法からみる遺産分割協議と遺贈の相続税実務Q&A」、
武田 秀和、税務研究会出版局

・「遺言、遺産分割に知っておきたい 相続税の債務控除の留意点Q&A」、
遠山 敏之、一般財団法人大蔵財務協会

・「同族会社相続の法務と税務」、
山川 一陽・根田 正樹・小池 正明・有吉 眞、学陽書房

・「三訂版 Q&A　国税通則法詳解」、黒坂 昭一、株式会社清文社

・「平成26年11月改訂　詳解　小規模宅地等の課税特例の実務―重要項目の整理と理解」、笹岡 宏保、株式会社清文社

・「ここからはじめる！これならわかる！小規模宅地特例の入門Q&A」、
辻・本郷 税理士法人、株式会社税務経理協会

・「税理士必携　事例にみる相続税の疑問と解説」、岩下 忠吾、株式会社ぎょうせい

・「Q&A相続税の申告・調査・手続相談事例集」、
安部 和彦、株式会社税務経理協会

・藤田 良一稿　「小規模宅地等の特例適用対象地等の選択の同意」、
週刊税務通信　NO3045（平成20年12月8日）号　P39～P42

・「小規模宅地特例の手続要件、柔軟な取り扱いは認められるか?」、
T&Amaster　NO589（2015年4月6日）号　P40～P41

・「判決・裁決からみる　土地評価の実務」、神谷 光春、新日本法規出版

・「事業承継の安心手引　2020年度版」
編著者：辻・本郷 税理士法人　理事長　徳田 孝司

・本書は令和３年４月１日時点の税制に基づき作成されています。
・復興税率については考慮しておりません。

辻・本郷 税理士法人

平成14年4月設立。東京新宿に本部を置き、日本国内に60以上の拠点、海外5拠点を持つ、国内最大規模を誇る税理士法人。

税務コンサルティング、相続、事業承継、医療、M&A、企業再生、公益法人、移転価格、国際税務など各税務分野に専門特化したプロ集団。

弁護士、不動産鑑定士、司法書士との連携により顧客の立場に立ったワンストップサービスと、あらゆるニーズに応える総合力をもって多岐にわたる業務展開をしている。

https://www.ht-tax.or.jp/

〈監修者〉

徳田 孝司

公認会計士・税理士。辻・本郷 税理士法人 理事長。

昭和55年、監査法人朝日会計社(現 あずさ監査法人)に入社。昭和61年、本郷公認会計士事務所に入所。

平成14年4月、辻・本郷 税理士法人設立、副理事長に就任し、平成28年1月より現職。

著書に『スラスラと会社の数字が読める本』(共著、成美堂出版)、『いくぜ株式公開「IPO速解本」』(共著、エヌピー通信社)、『精選100節税相談シート集』(共著、銀行研修社)他多数。

〈執筆者〉

木村 信夫、浅野 恵理、伊藤 健司、内田 陽子、翁 恵子、小田嶋 恒司、佐藤 正太、鈴木 淳、須田 博行、原 有美、前田 智美、松浦 真義、水野 亜美、宮村 百合子、武藤 泰豊、山口 拓也、渡辺 悠貴

〈2訂版〉
税理士が見つけた!
本当は怖い
相続の失敗事例64

2015年11月11日　初版第1刷発行
2021年6月9日　2訂版第1刷発行

監修　徳田 孝司
編著　辻・本郷 税理士法人
発行者　鏡渕　敬
発行所　株式会社 東峰書房
〒160-0022 東京都新宿区新宿4-3-15
電話　03-3261-3136　FAX　03-6682-5979
https://tohoshobo.info/
装幀・デザイン　小谷中一愛
イラスト　道端知美
印刷・製本　株式会社 シナノパブリッシングプレス

ISBN 978-4-88592-214-5 C0034